LES OREILLES DU PRÉSIDENT

Ouvrages de JEAN-MARIE PONTAUT

La Grande Cible (avec François Caviglioli, Mercure de France, 1972).
Le Secret des Écoutes téléphoniques (Presses de la Cité, 1978).
L'Attentat. Le juge Bruguière accuse la Libye (Fayard, 1992).

en collaboration avec JACQUES DEROGY

Enquête sur les « Affaires » d'un septennat (Robert Laffont, 1981).
Enquête sur les mystères de Marseille (Robert Laffont, 1984).
Enquête sur trois secrets d'État (Robert Laffont, 1986).
Enquête sur un Carrefour dangereux (Fayard, 1987).
Enquête sur les ripoux de la Côte (Fayard, 1991).
Investigation Passion : Enquête sur 30 ans d'affaires (Fayard, 1993).

en collaboration avec FRANCIS SZPINER

L'État hors la loi (Fayard, 1989).

en collaboration avec DOMINIQUE PRIEUR

Agent secrète (Fayard, 1995).

Jean-Marie
Pontaut

et

Jérôme
Dupuis

Les Oreilles du Président

suivi de la liste des

2 000 personnes « écoutées » par François Mitterrand

Fayard

« Il fut un temps, qui était démocratique, où l'on savait distinguer ce qui était la défense naturelle de la collectivité nationale et l'écoute politique du plus bas niveau, qui cherche à atteindre hommes et femmes dans leur vie afin de maintenir en place un pouvoir qui, désormais, manque de raisons pour y rester, sinon par des méthodes policières. »

FRANÇOIS MITTERRAND,
Congrès du PS à Grenoble, juin 1973.

Prologue

La mystérieuse dame en noir

Palais de justice de Paris, galerie des juges
d'instruction. Tout au long de ce sombre couloir
jaunâtre, derrière la rangée de portes marquées
de petites étiquettes aux noms des juges, les
magistrats parisiens interrogent, mettent en examen, expédient parfois en prison. Ce jeudi
12 janvier 1995, c'est le maréchal des logis chef
Lionel Billard qui assure la garde à l'entrée de la
galerie et contrôle chaque visiteur. Vers
16 heures 30, une grande femme élégante, toute
de noir vêtue, cheveux bruns coupés au carré et
maquillage voyant, se présente. Elle remet au
garde républicain une chemise cartonnée beige
destinée au juge Jean-Paul Valat, qui instruit
depuis de nombreux mois l'affaire des écoutes de
l'Élysée. « De la part de Maître Berger », glisse-
t-elle avant de s'éclipser rapidement. Le gendarme s'exécute et apporte l'enveloppe au juge
Valat. Celui-ci est intrigué : aucun Me Berger
n'apparaît dans ses dossiers. Vérification faite, il
n'existe d'ailleurs aucun Me Berger inscrit au

barreau de Paris. Mais l'évanescente dame en noir a déjà disparu.

À l'intérieur de la chemise cartonnée, le juge découvre une pochette de plastique rose fuchsia qui renferme cinq disquettes informatiques bleues de marque RPS, numérotées de 1 à 5 et ornées d'étiquettes portant une mystérieuse mention manuscrite : BACKUP-I. Le magistrat est de plus en plus intrigué.

Une heure plus tard, une voix masculine l'appelle au téléphone et lui demande s'il a bien reçu l'envoi de Mᵉ Berger. Ce correspondant refuse de décliner son identité mais livre la clef d'accès à ces mystérieuses disquettes. « Il faut, précise-t-il, les convertir et les adapter au logiciel correspondant. » Il ajoute que « l'écriture figurant sur les étiquettes est celle de l'un des protagonistes de l'affaire des écoutes de l'Élysée. Un blond... »

Ce « cadeau » providentiel va faire du dossier des « écoutes de l'Élysée » l'une des affaires les plus accablantes des deux septennats de François Mitterrand.

Quatre jours après cette visite, le juge confie les cinq disquettes à un expert en informatique agréé par la cour d'appel de Paris, Jean-Pierre Augendre. Lors d'une première manipulation sur son ordinateur à l'aide du logiciel Filing, l'écran lui révèle la trace de vingt-huit fichiers. Chacun d'eux présente un étrange nom de code, une date, une heure et le nombre de signes. Un chiffre faramineux : au total, l'expert recense près de quatre millions de caractères ! Lorsqu'il appuie sur la touche « imprimante » de son ordinateur, stupéfait, il voit défiler pendant des heures des milliers de pages au long desquelles conversent responsables politiques, journalistes, avocats, écrivains, hommes d'affaires, restaurateurs, magistrats, policiers, éditeurs : de larges pans secrets de la petite histoire du premier septennat mitterrandien s'impriment sous ses yeux ! Il y voit Charles Pasqua s'entretenir avec l'un de ses lieutenants ; l'épouse du Premier ministre de l'époque, Laurent Fabius, se confier à un journaliste ; l'écrivain Michel Déon évoquer les coulisses de la prochaine élection à l'Académie française ; le pamphlétaire Jean-Edern Hallier se pencher sur les secrets d'alcôve du Chef de l'État, etc. Plus de 3 000 conversations et près de 2 000 personnes soigneusement recensées dans trois volumineux fichiers informatiques qui accompagnent ces comptes rendus d'écoutes.

Durant trois ans, au gré de leurs humeurs, de leurs intuitions ou de leur curiosité, les « grandes oreilles » de l'Élysée ont violé la vie privée et professionnelle de leurs « cibles » avec l'accord tacite de François Mitterrand, aujourd'hui disparu. Celui-ci, marqué par son goût obsessionnel pour le secret, a laissé mettre en place dans l'arrière-cour de l'Élysée une machine kafkaïenne destinée à tout savoir sur ceux qu'il considérait alors comme ses ennemis. Et, surtout, à protéger sa vie privée.

C'est le même Président qui, lorsque Jacques Chirac lui annoncera qu'il souhaiterait nommer Charles Pasqua à l'Intérieur, en 1986, répliquera avec un cynisme achevé : « Dans ce cas, plus personne, ni à l'Élysée, ni au gouvernement, n'osera encore se servir du téléphone[1] ! »

Comment fonctionnait cette machine à écouter ? À quoi servait-elle ? Et, surtout, qui l'actionnait ?

---

1. Jacques Attali, *Verbatim II*, Fayard, 1995.

I

Un Président
très à l'écoute des Français

14 novembre 1985, 10 heures 54. Deux vedettes du Tout-Paris littéraire conversent au téléphone. Le sulfureux Jean-Edern Hallier appelle Philippe Sollers, auteur chez Gallimard et directeur de collection chez Denoël, pour lui livrer en avant-première des bribes de son futur pamphlet consacré à François Mitterrand. Un sujet explosif :

Jean-Edern Hallier : Je raconte d'une manière absolument précise toute l'histoire de *L'Honneur perdu de François Mitterrand*...

Philippe Sollers : Ça va recommencer, les histoires vont recommencer. Il ne faut pas !

J.-E.H. : Il faut bien qu'il sorte, ce bouquin, bordel !

P.S. : Je sais bien. Mais il faut attendre...

J.-E.H. : Il faut qu'il sorte avant les élections, sinon j'ai l'air de quoi... ?

P.S. : Non...

J.-E.H. : Mais qu'est-ce qu'il y a de scandaleux, dans ce bouquin ? Il y a l'histoire de la fille de Mitterrand. Tout le monde la connaît, bon, je n'ai pas besoin de la mettre dans le pamphlet. Je peux résumer en trois pages que Mitterrand n'a pas été blessé *[pendant la guerre]*, que Mitterrand a eu la francisque, que Mitterrand n'a...

P.S. : On retourne au rouet, là, c'est-à-dire à la case départ... Ça m'emmerde de parler de ça, parce que vous savez bien ce que je veux dire... On a déjà tout dit là-dessus, on ne va pas y revenir sans cesse...

J.-E.H. : Faudrait que je vous montre vingt-cinq pages...

P.S. : Mais je n'ai rien contre ces vingt-cinq pages, bordel ! Je vous dis que ce n'est pas le problème.

J.-E.H. : Parce que moi, ce bouquin, du coup, Albin Michel le prend sans hésiter, mais comme j'ai envie de donner un bouquin à Denoël...

P.S. : Oui, mais Denoël ne pourra pas le prendre, vous savez très bien. Allez... Coucou !

J.-E.H. : Comment raconter cette histoire sans raconter Mitterrand ? Et puis, le titre est formidable : soit ce que Mitterrand m'a dit le lendemain même *[de son élection, le 10 mai 1981]* : « Ma première pensée a été pour vous », soit « Les doubles tiroirs de la liberté »...

Ce que les deux écrivains ne savent pas, c'est qu'une troisième personne se trouve sur la ligne. Une présence discrète et silencieuse, mais ô combien attentive. Toutes leurs paroles vont être retranscrites mot pour mot et transmises bientôt à l'entourage direct de celui qui occupe ce jour-là leurs pensées : François Mitterrand. Par quel miracle ?

Tous les matins, un militaire anonyme franchit un porche des Invalides. En ce premier septennat de François Mitterrand, l'adjudant-chef – et bientôt capitaine – Pierre-Yves Guézou se rend chaque jour, sur ordre de l'Élysée, au Groupement interministériel de contrôle (GIC), le vaste centre parisien des écoutes téléphoniques dites « administratives » (par opposition aux écoutes « judiciaires » ordonnées par un juge d'instruction), situé dans les sous-sols des Invalides.

C'est une grande première : depuis que les écoutes ont été regroupées en 1958 sous ce sigle pudique de GIC, jamais la Présidence de la République n'avait eu un « correspondant permanent » aux Invalides, agissant sur ordres et flattant le penchant à l'espionnite du Président et de sa garde rapprochée. Dès la mise en place de la fameuse cellule présidentielle, en août 1982, après une série d'attentats meurtriers commis en France, les « hommes du Président » se sont ainsi approprié en toute illégalité quinze, puis vingt lignes échappant à tout contrôle. Ces écoutes illégales s'arrêteront net au lendemain du 16 mars 1986, après la victoire de la droite aux élections législatives, la cellule craignant alors sans doute d'être prise la main dans le sac.

Ce contingent de vingt lignes, à première vue peu important, mais admirablement exploité pendant des années, suffit à tisser une gigantesque toile d'araignée sur certains rouages stratégiques de la société française. Le principe est simple : toutes les conversations d'une personnalité, généralement influente, sont retranscrites, puis mises en mémoire. Grâce aux vingt lignes, cela constitue en moyenne plus d'une centaine d'interlocuteurs différents par jour. Dès qu'un correspondant « intéressant » apparaît, il peut à son tour devenir l'une des cibles de la cellule. Ce système de cibles tournantes permettra à celle-ci de dresser plusieurs fichiers dignes d'une mini-Stasi et qui regrouperont jusqu'à 2 000 noms. Certaines écoutes n'ont duré qu'une semaine ; d'autres, plusieurs années, ne laissant dans l'ombre aucune relation de l'« écouté », pas même ses employés de maison ou les cafés qu'il fréquentait.

À l'origine, la cellule recevait automatiquement du GIC, sur papier pelure rose, les comptes rendus intégraux des écoutes des vingt lignes qui lui étaient attribuées. Mais, rapidement débordés par cette masse d'informations d'un intérêt inégal, les hommes du Président ont délégué l'un des leurs sur place. Ce préposé de la cellule élyséenne auprès du GIC est donc Pierre-Yves Guézou, dit « Gaël ». Il a la charge de recopier intégralement certains passages importants de ces conversations ou, le plus souvent, d'en faire des synthèses manuscrites, plus facilement exploitables. Il rapporte personnellement les plus sensibles au 14, rue de l'Élysée, la petite rue qui longe le Palais, où la cellule dirigée par Christian Prouteau a pris ses quartiers. Les écoutes moins « brûlantes » suivent un parcours plus administratif : elles sont dactylographiées par des fonctionnaires du GIC et portées chaque jour aux gendarmes de l'Élysée par un fonctionnaire en civil. Elles échappent de ce fait au contrôle de Matignon, de la Défense et de l'Intérieur, bien que celui-ci soit prévu par les textes. Une procédure inédite en ce lieu ultrasecret où plus de mille magnétophones tournent en silence vingt-quatre heures sur vingt-quatre.

Écoutes en sous-sol

Pourtant, ce souterrain parisien en a beaucoup vu depuis l'époque où la Gestapo préparait le terrain en installant dans les égouts de Paris un vaste réseau d'écoutes aboutissant aux Écuries de l'hôtel des Invalides. Par la suite, chaque pouvoir a tenté de maîtriser cet outil scandaleux qui n'existe officiellement que depuis une loi de 1991. Avant 1958, lors des crises ministérielles de la IVe République, chaque président du Conseil pressenti cherchait à savoir comment allaient voter les députés : sur simple présentation de leur carte, les policiers plaçaient alors sur écoutes qui bon leur semblait. Dès son retour aux affaires, le général de Gaulle mit fin à cette joyeuse anarchie, d'autant plus que la guerre d'Algérie nécessitait alors une véritable utilisation opérationnelle de cet efficace outil policier, dont l'organisation fut confiée à Constantin Melnik, un proche du Premier ministre d'alors, Michel Debré. C'est lui qui créa le GIC, placé sous l'autorité de Matignon et des trois ministères « demandeurs » : Intérieur, Défense, PTT. C'est ce qui aurait permis au pouvoir d'être averti vingt-quatre heures à l'avance du putsch algérois d'avril 1961 et de neutraliser ainsi ses relais parisiens.

Mais l'écoute politique n'en fleurit pas moins pour autant. Ce sont les Renseignements généraux qui investissent les lieux dans les années 60 : 200 lignes sont exclusivement destinées à capter les conversations des milieux d'opposition, des syndicalistes, des responsables de mouvements extrémistes, des journalistes et même de certains collaborateurs de ministres gaullistes. Une détestable manie française, inconcevable dans une démocratie à l'anglo-saxonne. Le favori des « grandes oreilles » n'est autre, à l'époque, que le principal rival du Général, François Mitterrand, qui saura si bien les utiliser plus tard pour son compte. Son poste d'écoute, le 404, célèbre parmi les fonctionnaires du GIC, était branché tout à la fois sur son bureau et à son domicile. Prudent, le leader de la gauche ne révélait jamais une information de quelque importance par téléphone. Dès que l'un de ses interlocuteurs abordait un sujet sensible, il le coupait froidement : « Nous en parlerons à la prochaine réunion. » En revanche, il poursuivait volontiers de longues conversations « romantiques » avec de nombreuses jeunes femmes, entretiens scrupuleusement retranscrits par les policiers, parfois eux-mêmes séduits par le style fleuri et cultivé du Premier secrétaire. « Bon, j'avais tiré un large trait sur le tout-venant de la vie privée, nuancera pourtant avec humour François Mitterrand dans *La Paille et le grain*. Par exemple, au téléphone, "Je t'aime" ou "Bonjour" risquant d'offenser les pouvoirs publics, il convenait de bannir de la conversation ces impudiques, ces équivoques locutions. »

L'opposition de droite n'échappait pas à la « bretelle » téléphonique, ce fil d'interception posé sur la ligne de l'écouté. Les « grandes oreilles » se délectaient, par exemple, des dialogues entre Jean Lecanuet, maire de Rouen, aujourd'hui décédé, et une jeune femme, surnommée « la Belle Jardinière », que le président du Centre démocrate devait épouser plus tard – la morale est donc sauve...

Autre grande saison d'écoute : les événements de Mai 68 durant lesquels les policiers travaillèrent jour et nuit à traquer les leaders gauchistes. En tête, selon les RG, le redoutable responsable du PSU, Michel Rocard, dont ils suivaient les conversations passionnées avec Marc Heurgon, l'un des théoriciens de ce petit parti. Toutes les « gloires » de 68 se succédèrent alors à l'oreille des écouteurs : Jacques Sauvageot, Alain Geismar, Alain Krivine, Daniel Cohn-Bendit, etc. Les policiers se branchèrent aussi sur les intellectuels suspects de sympathies avec le mouvement étudiant : Maurice Clavel et surtout Jean-Paul Sartre, déjà écouté en 1964, un ministre n'ayant pas compris, à l'époque, pourquoi l'auteur des *Mains sales* avait refusé le Prix Nobel de littérature et le magot rondelet qui l'accompagne... Le Sartre de 68, patron de *La Cause du Peuple*, était bien plus nerveux et révolutionnaire, ce qui ne l'empêchait nullement, à la vive surprise des écouteurs, d'aimer les plaisirs de la vie et la compagnie des jolies femmes. Des égéries de la gauche furent également repérées et épiées par les policiers : Mélina Mercouri, Françoise Sagan, et même la chanteuse Barbara... Les journaux n'échappaient évidemment pas à l'attention des « grandes oreilles » : *Minute,* mais surtout *Le Canard enchaîné*, surnommé « Condé », avaient droit à un traitement de faveur.

Ces écoutes « politiques » furent en grande partie supprimées en 1974 par Valéry Giscard d'Estaing, qui en avait lui-même été victime. L'une de ses conversations avec une célèbre actrice avait fait le tour de Paris. Trouvant ces procédés détestables, le nouveau Président de la

République soumit le GIC à un contrôle plus sévère, interdisant notamment les écoutes d'hommes politiques, de journalistes ou d'avocats. Une véritable rupture.

Accédant le 10 mai 1981 aux affaires, l'un des premiers soucis moraux de la gauche est d'en finir avec le flou et l'illégalité qui règnent autour de ces écoutes, symbole des pratiques « barbouzardes » des gouvernements passés. Aussi, dès sa nomination à Matignon, Pierre Mauroy commande-t-il, le 21 juillet 1981, un rapport sur le sujet, confié à Robert Schmelck, premier président de la Cour de cassation. Celui-ci propose un certain nombre de mesures destinées à encadrer strictement la pratique, le nombre et les modalités des écoutes. Mais, comme la plupart des rapports de ce type, celui-ci finit dans un tiroir.

À défaut d'une loi votée en bonne et due forme, le rapport Schmelck sert néanmoins de référence quasi officielle tout au long des années 80 : il rappelle l'obligation de contrôle de toute demande, laquelle doit être rédigée en trois volets (le ministère demandeur, Intérieur ou Défense, Matignon et les PTT) ; le Premier ministre doit par ailleurs disposer chaque jour du double de toutes les écoutes ; enfin, il rappelle l'usage voulant que, dans un souci démocratique, certaines professions (journaliste, avocat, homme politique, magistrat) ne fassent pas l'objet d'écoutes. À ce propos, la Commission

Schmelck remarquait d'ailleurs en conclusion :
« Nous avons acquis la conviction que, depuis de
nombreuses années, aucune ligne téléphonique
appartenant à un parlementaire, à un responsable syndical ou à un journaliste professionnel
n'a fait l'objet d'une mesure de surveillance
ordonnée ou autorisée par le gouvernement ou
l'administration. »

Cela ne va pas tarder à changer. Un an plus
tard, on l'a vu, les gendarmes de l'Élysée investissent le GIC et s'emparent de vingt lignes pour
leur usage exclusif et sous contrôle du nouveau
Président. Aucune profession ne sera épargnée.
Ce n'est que dix ans plus tard, en 1991, alors que
la cellule élyséenne aura réalisé des milliers
d'écoutes illégales entre 1983 et 1986, que le gouvernement de Michel Rocard fera voter la première loi sur les écoutes...

Depuis cette date, les écoutes administratives
sont très soigneusement réglementées, bien
qu'elles n'aient probablement jamais été aussi
nombreuses. Le GIC peut ainsi brancher chaque
jour 1 180 lignes. Dès la demande, une équipe
spécialisée des PTT se rend sur l'heure dans les
centraux téléphoniques et pose sur la ligne
concernée ce qu'on appelle une « bretelle » : une
dérivation qui aboutit aux souterrains du GIC.
L'écoute peut alors être traitée de deux façons :
soit en écoute directe, dans les cas les plus
urgents ; soit enregistrée sur magnétophone,
puis retranscrite dans un second temps. À l'inté-

rieur des locaux des Invalides règne un profond silence, ponctué par le clignotement des voyants lumineux lorsque les appareils se mettent à tourner.

Ce procédé totalement « indolore », contrairement à l'idée reçue, est indétectable par l'« écouté » : aucun écho, aucun crachotement, aucun déclic ne vient troubler ses conversations. Seul un appareil extrêmement perfectionné est capable de déceler une très légère baisse de tension sur la ligne, due à la dérivation posée par les PTT.

Au cours des années 80, avec les avancées de la technologie, le GIC a dû s'adapter à la diffusion massive du fax. Aujourd'hui, une salle spécialement aménagée à cet effet espionne jour et nuit les entreprises et ambassades « sensibles ». On peut voir apparaître dans un crépitement continu tantôt le message d'un diplomate à son pays d'origine – y compris parmi les meilleurs alliés de la France –, tantôt le plan détaillé d'un prototype militaire dernier cri. Enfin, comme dans les meilleurs *James Bond*, le GIC abrite dans ses locaux un véritable atelier où sont fabriqués et réparés tous les instruments utilisés : magnétophones, composants électroniques, etc. Le système est autarcique et ne laisse pénétrer aucun élément extérieur dans son enceinte des Invalides.

Les 1 180 lignes du GIC sont réparties entre trois ministères : l'Intérieur (PJ, RG, DST) se

taille la part du lion avec 928 lignes ; suivent la
Défense (DGSE, DPSD, Gendarmerie) avec
223 lignes ; enfin les Douanes, avec une vingtaine de lignes. Grâce au jeu des renouvelle-
ments, le GIC a procédé à 2 681 branchements
pour l'année 1994, ainsi que le révèle le rapport
d'activité de la Commission nationale des interceptions de sécurité (CNIS). Créée elle aussi par
la loi de 1991, celle-ci est chargée de veiller au
bon fonctionnement des écoutes administratives. Présidée par le conseiller d'État et ancien
avocat (de gauche) Paul Bouchet, elle est composée d'un sénateur et d'un député, traditionnellement choisis, dans un souci de transparence,
l'un dans la majorité, l'autre dans l'opposition.
Mais c'est un militaire qui a la haute main sur le
GIC. L'actuel patron, le général Charroy, déjà en
poste durant les « années noires » de la cellule
élyséenne, se rend quotidiennement à Matignon
pour apporter la « moisson » de la veille. C'est
traditionnellement le directeur de cabinet du
Premier ministre qui en prend connaissance,
ainsi que ses collègues de l'Intérieur, de la
Défense et des PTT. Ce système bien encadré
permet un réel contrôle et doit, en théorie, éviter
les dérapages.

Pourtant, la dérive insensée des « zonzons »
élyséennes – comme on surnomme les écoutes –,
entre 1983 et 1986, n'a pas paru perturber le
général Charroy, non plus que les ministres
socialistes qui soit en ignoraient tout, soit fer-

maient pudiquement les yeux. Quant à Paul Bouchet, patron de la CNIS, il rédigera bien un rapport sur les écoutes élyséennes en 1993, mais, curieusement, celui-ci a été classé « secret défense », et, cohabitation oblige, est allé dormir au fond d'un coffre-fort de Matignon dont il n'est pas ressorti depuis lors...

Le tableau de chasse des « barbouzes » de l'Élysée est pourtant hallucinant. Il ne comprend pas seulement des milliers de comptes rendus, mais une exploitation systématique des renseignements obtenus, sous la forme de trois énormes fichiers, véritables annuaires des écoutes élyséennes : le fichier *TPH* (pour « téléphone »), le fichier *Kidnapping* (par référence à l'« enlèvement » de Jean-Edern Hallier), enfin le fichier *Hermès*. Trois fichiers informatiques qui, cela va sans dire, n'ont jamais été portés à la connaissance de la CNIL (Commission nationale « Informatique et Libertés ») présidée par Jacques Fauvet.

Examinons en détail ces trois fichiers.

Le fichier *Hermès*

C'est le fichier central. On ne connaît pas l'origine de son nom. Les gendarmes de l'Élysée ont-ils voulu, par ironie, honorer la divinité personnifiant dans l'Olympe l'habileté et la ruse, ou est-ce l'ignorance qui leur a fait célébrer sous ce nom le dieu du vol et du mensonge ? Ce fichier informatique contient en toutes lettres le nom de 119 « cibles » : autant de personnalités placées directement sur écoutes.

En réalité, un examen minutieux permet d'affirmer qu'au moins 150 « cibles » ont été placées sur écoutes entre 1983 et 1986 : un « échantillon » d'hommes et de femmes triés sur le volet par l'Élysée, un curieux *Who's Who* des années 80, mêlant personnalités de premier plan et illustres inconnus. Outre une poignée de supposés terroristes en tous genres, une pléiade de mercenaires d'extrême droite et une brochette d'intermédiaires moyen-orientaux, on y trouve pêle-mêle des journalistes réputés (Edwy Plenel, du *Monde* ; Georges Marion, à l'époque au *Canard enchaîné* ; Alexis Libaert, de *L'Événement du Jeudi* ; Xavier Rauffer, aujourd'hui à *L'Express*), des auteurs (Jean-Edern Hallier, Roger Delpey), une actrice célèbre (Carole Bouquet), des hommes politiques (le secrétaire général adjoint du CDS, François Froment-Meurice ; un proche de Charles Pasqua, Joël Galipapa), des éditeurs (La Table Ronde, les Éditions de l'Équerre), des hommes d'affaires (dont le baron Empain), des lieux fréquentés par le Tout-Paris (*La Closerie des Lilas*), des avocats (Mᵉ Antoine Comte, Mᵉ Pierre Novat), sans compter, bizarreries, l'Office du tourisme du Sénégal ou la société Surveillance et Jardinage (voir liste complète page 239) !...

Chacune de ces fiches est extrêmement précise et comprend dix rubriques. En haut à gauche, la date de la dernière mise à jour, la date de la demande (éventuellement de la radiation), le code secret attribué à l'« écouté », qui, en général, débute par la première lettre de son patronyme (par exemple, « Loup » pour le journaliste Alexis Libaert, ou « Frite » pour François Froment-Meurice) ; puis, en dessous, son adresse, son numéro de téléphone (avec la mention « LR » s'il s'agit d'un numéro sur liste rouge), ainsi que sa profession.

Conscients de violer les règles visant les professions protégées, et sans doute pour brouiller les pistes au sein même du GIC, les gendarmes mentionnent souvent des activités hautement fantaisistes : le journaliste Alexis Libaert se voit qualifier de « PDG », l'un de ses confrères d'« éducateur », François Froment-Meurice de « documentaliste », et plusieurs hommes d'affaires d'origine arabe se retrouvent « ouvriers d'usine ». On trouve même un « chef éboueur » sous le délicat pseudonyme de « Bave » ! Les « cibles » féminines sont, elles, en général « secrétaires », « caissières », ou, comme Carole Bouquet, « sans profession », voire, pour l'une d'elles, habitant rue de Lappe, « maître nageur »...

Lorsqu'ils sont en panne d'inspiration, la mention « en cours de vérification » est utilisée, par exemple pour un collègue inspecteur de police (pourtant ancien de l'Élysée !), ou pour l'épouse d'un journaliste. Parfois, la cellule se contente de laisser en blanc cette rubrique. En revanche, dans certains cas, la profession mentionnée correspond bien à la réalité : « homme d'affaires », « médecin », voire « éditeur » pour Lionel Labrousse, patron des Éditions de l'Équerre.

Encore au-dessous, sur les pages de cet étrange annuaire, figure le « motif » invoqué pour la mise sur écoutes. Dans les premiers mois, les gendarmes élyséens ont encore à cœur de justifier avec précision leurs demandes. Le 11 janvier 1983, ils branchent « Édredon », avec le motif suivant : « Localisation en France de Dominique Érulin », un ancien garde du corps de Jean-Marie Le Pen, alors réfugié au Paraguay. Le 14 janvier, ils justifient un branchement sur « Arc » par un « projet de complot au Togo ». Le même jour, ils souhaitent écouter « Mondain » pour « détecter et prévenir toute éventuelle action subversive, voire terroriste, tant en Guadeloupe qu'en métropole ». Le 31 du même mois, l'écoute de « Planète » doit leur livrer « le lieu de rendez-vous d'individus en relation avec des milieux terroristes ».

Mais, peu à peu, au fil du temps, le « motif » invoqué devient passe-partout. Trois thèmes reviennent sans cesse : « trafic d'armes » (parfois « en liaison avec l'extrême droite »), « sécurité personnalité de la Défense », et, plus rarement, « sécurité du Président de la République ». Des motifs suffisamment flous pour maquiller n'importe quelle demande. L'actrice Carole Bouquet se voit ainsi gratifier à la rubrique « motif » d'un extravagant : « trafic d'armes » ! Du coup, certaines pages du fichier *Hermès* prennent un tour surréaliste : ainsi, une certaine Yvette, habitant Ivry-sur-Seine, surnommée « Paon », est à la fois censée être « ouvrière d'usine » et se livrer à un « trafic d'armes » !

La dernière ligne de ces précieuses fiches mentionne enfin, sous la rubrique « demandeur(s) », l'identité du ou des fonctionnaires de l'Élysée qui ont réclamé la mise sur écoutes. Cette mention capitale permet d'identifier tous les membres actifs de la cellule élyséenne, du moins ceux qui avaient le pouvoir de commander des branchements. Ce sont ces quelques hommes triés sur le volet qui ont la haute main sur toutes les écoutes élyséennes pendant près de cinq ans. Certains resteront, prendront de plus en plus de pouvoir ; d'autres préféreront s'éloigner au fil d'une histoire passablement agitée...

C'est au lendemain de l'attentat de la rue des Rosiers, le 9 août 1982, que le Président François Mitterrand fait part de son implacable volonté de lutter contre le terrorisme. Au cours d'une allocution solennelle face aux caméras de télévision, il annonce la création d'un secrétariat d'État à la Sécurité publique dont le titulaire sera Joseph Franceschi, et d'une « mission de coordination, d'information et d'action » contre le terrorisme, directement rattachée à l'Élysée et confiée au chef d'escadron Christian Prouteau, alors patron du GIGN, le groupe d'élite de la Gendarmerie nationale. C'est l'acte de naissance de la « cellule », qui n'aura d'ailleurs jamais vraiment d'existence légale.

Pourquoi Prouteau, que ses inclinations politiques ne semblaient pas faire pencher particulièrement à gauche ? Tout a commencé en mars 1982 par le coup de foudre du nouveau ministre de la Défense, Charles Hernu, lui-même fils de gendarme, pour ce sémillant officier de gendarmerie sorti de Saint-Cyr. Fils de colonel de gendarmerie, volubile officier aux yeux clairs derrière de fines lunettes d'intellectuel, Christian Prouteau a de quoi en imposer : le palmarès de son enfant, le GIGN, qu'il a créé en 1973 alors qu'il n'était que jeune lieutenant, est impressionnant. À l'aube des années 80, il a libéré 212 otages, mis hors de combat 49 forcenés, et réalisé 63 arrestations. De l'une de ses équipées, Christian Prouteau a d'ailleurs gardé quelques dizaines de plomb dans la gorge, tirés par un forcené. Lui et son adjoint et complice de toujours, le capitaine Paul Barril – regard bleu-gris, chevelure bouclée, gueule d'acteur, champion tout terrain (karaté, plongée, saut, tir sur cibles mouvantes) –, ont préparé, lors d'une présentation du GIGN à Maisons-Alfort, une superproduction à l'intention du nouveau ministre : descente en rappel d'une tour de quatorze étages, ramassages de grenades dégoupillées, tirs réels sur gilets pare-balles et attaques de chiens. Barril conclut par son exercice favori, répété pendant six ans : dos à l'« adversaire », à 15 mètres de distance, il dégaine et, en moins de quelques secondes, fait mouche sur six cibles. Hernu est aux anges.

Aussi, lorsque François de Grossouvre, vieil ami et conseiller personnel de François Mitterrand, s'inquiète des failles qu'il croit déceler dans la protection policière du Président, le ministre de la Défense lui parle tout naturellement de cet homme extraordinaire rencontré quelques semaines plus tôt : Christian Prouteau. Grossouvre charge l'officier de gendarmerie de réaliser dans la plus grande discrétion une « mission d'audit » de la sécurité présidentielle. Prouteau et Barril ne lésinent pas sur les méthodes. Pour commencer, l'un de leurs hommes, déguisé en civil et porteur d'une arme, réussit à serrer sept fois la main du Président dans la même journée. Chaque fois, la scène est minutieusement photographiée par les deux compères. Ensuite, sans être inquiétés, ils déposent un paquet suspect sous un fauteuil destiné au Président. Le patron du GIGN aura finalement l'insigne honneur de remettre en mains propres à ce dernier, dans sa bergerie landaise de Latché, l'édifiant résultat de cet « audit » d'un genre particulier.

François Mitterrand est à son tour séduit par les méthodes et l'efficacité de ce gendarme aux

yeux clairs qui est chargé, cette fois officiellement, d'une mission d'étude sur la sécurité du
Chef de l'État. Christian Prouteau réclame aussitôt des moyens exceptionnels : voitures
rapides, fusils d'assaut, équipements radio...
Bientôt, un groupe de gendarmes issus du GIGN,
le GSPR (Groupement de sécurité de la Présidence de la République) prend en charge la protection rapprochée de François Mitterrand. À la
même époque, les récents attentats perpétrés
contre Ronald Reagan, le pape ou Anouar el
Sadate ont traumatisé l'entourage présidentiel.
Sans compter, à gauche, le « syndrome
Allende », qui hante encore quelques esprits.
C'est donc tout naturellement que le Président
songe à Prouteau à l'heure où il décide de créer
une mission antiterroriste directement rattachée
à la Présidence de la République.

Le 16 août, François Mitterrand envoie son
hélicoptère chercher l'officier de gendarmerie,
alors en vacances chez ses parents sur la côte
vendéenne. Avant d'accepter la proposition présidentielle, Prouteau tient à avouer à son futur
patron qu'il n'a pas voté pour lui en 1981. Ce qui
amuse plutôt le Président. Il pose ensuite deux
conditions :

1) « En cas de pépin, j'accepte d'en porter
toute la responsabilité ; mais, en échange, je
veux être libre des moyens que j'utiliserai et
n'avoir à rendre compte qu'à vous-même ou à
votre cabinet. »

2) « Garder le commandement du GIGN et intégrer mon second, Paul Barril, au nouveau dispositif. »

Le Président accepte. Après un entretien avec Jean-Louis Bianco, Christian Prouteau est officiellement nommé conseiller technique à la Présidence de la République, le 24 août 1982. Paul Barril devient, lui, commandant par intérim du GIGN. Les consultations pour le recrutement de la cellule commencent.

Prouteau souhaite former une équipe restreinte composée de gendarmes et de policiers des RG, de la DST et de la PJ. Chez les gendarmes, outre son inséparable compagnon d'armes, Paul Barril, il prend comme « directeur de cabinet » le lieutenant-colonel Jean-Louis Esquivié, camarade de promotion à l'École des officiers de gendarmerie de Melun, surnommé « Le Curé » ou « L'Archevêque » pour avoir fait un pèlerinage à Saint-Jacques-de-Compostelle à sa sortie de l'École de Guerre. Ses connaissances en informatique seront précieuses à la cellule qui disposera de deux ordinateurs, l'un en noir et blanc, l'autre en couleur, de modèle PC XT. Le secrétariat de Christian Prouteau sera assuré par deux gendarmettes, dont une d'origine néo-zélandaise, qui auront pour lourde tâche de gérer les fichiers des milliers d'écoutes. Le secrétariat particulier comprendra enfin deux gardes du corps, dont l'un, Charley Jacquerez, ira même jusqu'à demander une écoute sur le contingent de l'Élysée !

Du côté policier, Prouteau prend contact avec le commissaire Charles Pellegrini, patron de l'Office central de répression du banditisme, dont il a pu apprécier les qualités à l'occasion d'une prise d'otages, avenue Bosquet, et surtout lors de la reddition de nationalistes corses retranchés à l'hôtel Fesh, à Ajaccio. Corse d'origine, celui-ci est en vacances dans sa famille, à Solenzara, lorsque Prouteau le fait rappeler à Paris pour lui proposer une association. Ce « grand flic » accepte et obtient d'avoir sous ses ordres six inspecteurs de son ancien service, qui formeront un Groupe d'action mixte (GAM) à parité avec six gendarmes du GIGN choisis par l'omniprésent Paul Barril. Deux autres policiers, Jean Orluc et Pierre-Yves Gilleron, sont eux aussi intégrés à la cellule pour animer une section « Renseignement ».

Le premier, issu de la direction centrale des Renseignements généraux, a été recommandé par François de Grossouvre, malgré une ancienne proximité avec le SAC. Il est apprécié pour sa capacité à collecter les informations croustillantes, ce qui lui a valu le surnom de « Potin de la Commère », auquel il préfère cependant celui d'« Achille ». Il se fait assister de deux inspecteurs des RG, Michel Tissier et Pierre-Marc Llitjos.

Le second policier recruté, Pierre-Yves Gilleron, plus discret, a été formé au moule du contre-espionnage, à la DST. À l'origine, Christian Prouteau avait jeté son dévolu sur un autre agent de la DST, spécialiste en « bidouillages » en tous genres ; mais, devant le ferme refus du Contre-espionnage, la cellule hérite finalement de ce jeune et brillant commissaire de trente ans qui prend à ses côtés un autre inspecteur de la DST, Dominique Mangin, ainsi que le gendarme Karst.

Cette police parallèle d'une trentaine de membres, qui a pour particularité de n'avoir de comptes à rendre à aucune autorité judiciaire et de ne dépendre que du plus haut sommet de l'État, prend ses quartiers au deuxième étage de la rue de l'Élysée. Elle reçoit en outre un équipement hautement perfectionné. Christian Prouteau, lui, dispose de trois bureaux dans l'aile gauche du Palais de l'Élysée. Il rendra compte directement au Président ainsi qu'à Gilles Ménage qui, après l'épisode mouvementé de l'affaire des « Irlandais de Vincennes » (voir chapitre trois), a été nommé directeur-adjoint du cabinet de François Mitterrand, chargé des affaires de police, à la mi-octobre 1982. Ce préfet, proche de Robert Pandraud avant 1981, deviendra rapidement le spécialiste des affaires réservées. Il sera surnommé « Monsieur Propre » – « Mike » en code radio. En fait, à partir de 1983, c'est lui qui aura la haute main sur la cellule.

Dès les premières semaines, la cellule va montrer un intérêt gourmand et souvent maladroit pour les fichiers de toute nature. Grâce au savoir-faire informatique du lieutenant-colonel Esquivié, elle se branche directement sur les fichiers « Personnes recherchées », « Terrorisme » et même « Véhicules volés » du ministère de l'Intérieur. Mais ses membres se heurtent rapidement à l'hostilité de tous les services de police « concurrents » en s'immisçant dans les enquêtes en cours et en s'intéressant – déjà ! – aux fuites parues dans la presse. Cependant, c'est incontestablement dans le domaine des écoutes qu'ils se surpassent en créant un système rappelant celui en vigueur hier dans certains pays de l'Est.

Au total, donc, sur la période considérée, d'après nos calculs, près de 150 personnes ont été directement branchées, ce qui représente plus de 3 000 conversations enregistrées et près de 2 000 interlocuteurs dûment répertoriés et classés dans les ordinateurs de la cellule. À elles seules, les retranscriptions d'écoutes pèsent plusieurs dizaines de kilos. Sur le seul fichier *Hermès*, qui recense 119 de ces 150 « cibles », Christian Prouteau en a personnellement commandé 63, Pierre-Yves Gilleron, 19, Michel Tissier et Jean Orluc, 9 à eux deux, Dominique Mangin, 6, Jean-Louis Esquivié, 5, Pierre-Marc

Llitjos, 4, enfin Paul Barril, 2, et Charles Pelle-grini, 3. Profitant d'un accident grave, ce dernier quittera la cellule l'année suivante, franchement pas mécontent de se retirer sur la pointe des pieds de cette structure dont il avait pu constater les premiers dérapages en tant que professionnel de la police judiciaire. Quant au capitaine Barril, c'est un accident (de parachutisme), mais aussi les remous provoqués par l'affaire des « Irlandais de Vincennes » qui l'éloignèrent de la cellule à la mi-1983. Dès lors, ses relations avec ses anciens camarades ne cessèrent plus de se tendre au fil des ans.

Mais le fichier *Hermès*, s'il constitue le cœur du système, n'est qu'un élément du dispositif d'écoutes de l'Élysée. Les disquettes de la dame en noir révèlent en effet l'existence de deux autres fichiers méticuleusement mis en mémoire dans les ordinateurs du « Château ».

Le fichier *TPH* (pour « Téléphone »)

Ce « monstre » comprend 1 022 fiches informatiques qui débutent toutes par un numéro de téléphone. Il s'agit des numéros de 1 022 correspondants qui ont été au moins une fois en contact avec l'une des personnes écoutées. En effet, chaque fois que l'une des « cibles » compose un numéro, les huit chiffres apparaissent automatiquement sur un appareil spécial du GIC. Aussitôt, les hommes de la cellule identifient le titulaire du numéro et le fichent. Outre le numéro, chaque fiche de *TPH* comprend donc le nom, le prénom, l'adresse, la date de l'appel et surtout la référence à la « cible » écoutée.

Exemple : Louis Pauwels, directeur de la rédaction du *Figaro magazine*, domicilié dans les Yvelines, a été appelé le 2 juillet 1984 par « Débile » (un des pseudonymes de Jean-Edern Hallier). Il fait donc son entrée dans le grand club des « écoutés » de l'Élysée à cette date.

Ce système perfectionné présente un double avantage. Il permet d'abord de retrouver instantanément tout correspondant d'une « cible », mais, surtout – vieux fantasme de tout État policier –, de reconstituer en détail, en appuyant sur une simple touche, tout l'« environnement » d'un individu : relations professionnelles, entourage familial, loisirs, restaurants fréquentés, informateurs éventuels, sans compter ses relations d'ordre plus privé avec sa banque, sa compagnie d'assurances, voire ses amours.

Autre avantage : dès qu'un interlocuteur attise la curiosité de la cellule, il est à son tour branché et a le « privilège » de devenir une cible. Dans le jargon des écoutes, on appelle cette opération une « construction ». Dina Vierny, par exemple, qui fut le modèle fétiche du sculpteur Maillol dont les œuvres ornent le jardin des Tuileries, a-t-elle le « tort » d'apparaître régulièrement dans certaines écoutes ? Aussitôt, elle est « construite », le 25 mai 1984, à son domicile et sur son lieu de travail, sous les pseudonymes de « Verdure 1 » et « Verdure 2 ». Dès lors, toutes ses conversations sont enregistrées et tous ses correspondants font à leur tour leur entrée dans l'annuaire *TPH* !

De la sorte, non seulement des centaines de particuliers, mais aussi des lieux publics, voire des palais nationaux ont été systématiquement fichés par l'Élysée. Ainsi, pour les besoins d'une enquête sur le mercenaire d'extrême droite Dominique Érulin, les hommes de la cellule n'hésitent pas à placer sur écoutes le standard de l'hôtel Concorde-Lafayette sous les pseudonymes de « Court 1 » et « Court 2 ». Le restaurant *Chez Francis*, place de l'Alma, a également les honneurs de l'Élysée (pseudonymes : « Fébrile 1 » et « Fébrile 2 »). Plus surréaliste encore, une boîte de nuit de la rue de Rennes, réputée pour attirer le gratin politique et financier africain, le Caramel Night-Club, est branchée à son tour sous le pseudonyme de « Leguer » !

La lecture du fichier *TPH*, on le verra, révèle encore bien d'autres surprises. Les hommes du Président n'ont pas hésité à dresser des fiches au nom de l'Assemblée nationale, du Sénat, des Renseignements généraux, d'une annexe du ministère de la Justice, du commandement de la Gendarmerie mobile, mais aussi de grandes entreprises comme Total, Thomson-CSF, CIT-Alcatel ou les Presses Universitaires de France. Les ambassades de Chine, d'Équateur et d'Iran sont particulièrement suivies. Bien entendu, les médias n'échappent pas au fichage : *Europe 1, L'Événement du Jeudi, Le Monde, Le Nouvel Observateur, Libération, Minute* et *Radio-France* figurent en bonne place dans les ordinateurs de l'Élysée. Les gendarmes de la cellule n'ont pas reculé devant le fichage du journal de leur propre corps, *L'Essor de la Gendarmerie,* et de son patron, Jacques Revise. Même les très confidentielles communications des frères francs-maçons de la Grande Loge nationale de France, avenue Bineau, sont mentionnées dans l'annuaire *TPH.* D'autres fiches laissent songeur sur les intentions de la cellule. Citons pêle-mêle, dans un inventaire à la Prévert : le *Bridge Club de l'Étoile,* le cabaret *Don Camillo,* l'empereur Bokassa (alors en exil en France), la tour Montparnasse, ou encore la Société française d'hygiène...

Pourtant, au-delà de l'aspect parfois anecdotique de cet annuaire, les « barbouzes » de l'Élysée n'hésitaient pas à compléter ces fiches de commentaires d'ordre professionnel, voire intime. Plus qu'un annuaire, *TPH* constitue bel et bien une entreprise de fichage au plus haut niveau de l'État. Ainsi, pour le journaliste-baroudeur Gilbert Lecavelier, par exemple, auteur du livre détonnant *Aux ordres du SAC*[1], les hommes

---

1. Serge Ferrand, Gilbert Lecavelier, Albin Michel, 1982.

de la cellule ajoutent sur sa fiche, le 27 mai 1985, le numéro de son compte bancaire, de sa carte de presse, le numéro de téléphone de la société qui l'emploie, l'adresse de son père dans le Calvados, et cette note : « Pour les affaires au Paraguay, a le contact avec Stroessner, fils du dictateur. »

D'autres fiches n'épargnent pas les avocats. On découvre par exemple le nom de Me Christine Courrégé, dont le cabinet se trouvait alors rue de Bièvre, à deux pas du domicile privé du Président de la République. Le 29 novembre 1985, il est précisé qu'elle travaille au cabinet d'avocats de Roland Dumas, alors ministre du gouvernement Fabius, et surtout qu'elle vient d'être contactée par l'un des protagonistes de l'affaire des « Irlandais de Vincennes ». En prime, les gendarmes ajoutent son numéro personnel : on ne sait jamais, elle pourrait un jour devenir elle aussi une « cible » de choix...

La cellule fiche même des collègues policiers. Un inspecteur de la DST a ainsi droit à une note circonstanciée avec sa date de naissance, ses relations, le prénom de sa femme (Arlette), le nom de sa belle-sœur, son pseudonyme, et trois de ses contacts, avec, pour chacun, un numéro de téléphone.

Enfin, dans ce minutieux travail de fichage, les hommes de Christian Prouteau ne répugnent pas à consigner parfois les détails les plus intimes de la vie des « écoutés ». À quelles fins ? Pourquoi préciser, par exemple, au bas de la fiche de telle ou telle correspondante, qu'elle est la « maîtresse » d'un responsable syndical ou d'un journaliste ? Ou, à propos d'une écoute, que tel journaliste entretient une relation tendre avec une attachée de presse de l'Élysée ? D'autres fois, la volonté des « écouteurs » d'identifier systématiquement tous les numéros appelés les amènent à violer sans vergogne la vie privée. À propos d'un numéro composé par un journaliste, ils notent que l'ancienne locataire est décédée, que son logement a été repris par ce journaliste et prêté au fils de sa compagne ; ils ajoutent que ce dernier « vit en concubinage et fait des études de médecine (1re année)... »

Au détour d'une conversation, les informations collectées peuvent se révéler lourdes de conséquences. Ainsi, sur la fiche d'un avocat parisien, on peut lire : « Sa concubine et lui-même font usage de stupéfiants » ; puis, l'écoute leur ayant révélé les coordonnées du « dealer » (au siège d'une société du Sentier, à Paris), les gendarmes établissent une nouvelle fiche et notent alors que la « concubine de l'avocat demande des *pantalons* » (drogue) à ses revendeurs. Dans une autre fiche, un écrivain qui doit passer à l'émission « Droit de réponse » de Michel Polac réclame à un ami un « rail blanc » (cocaïne) et demande à un autre ami « comment et combien il doit en prendre avant l'émission ». Comment ces informations ont-elles été ensuite utilisées par la cellule ?

Dans certains cas, plutôt que de mentionner le nom de la « cible » qui les a conduits sur la piste d'un correspondant, les gendarmes de la cellule préfèrent une laconique mention « Élysée », souvent accompagnée du prénom ou du surnom de l'un d'eux (qui « suivait » l'écoute) : Pyves (Pierre-Yves Gilleron), Jean-Louis (Esquivié), Patricia (Welter, gendarmette, collaboratrice de Prouteau), Pierre-Marc (Llitjos), Jean (Orluc), Michel (Tissier), ou même, dans un cas, Ménage (voir chapitre quatre). Une autre manière de signer le « crime »...

Le fichier *Kidnapping* (voir Annexe IV)

Composé de 800 pages, ce troisième et dernier fichier, sans doute le plus intrigant, renferme une quantité incroyable de noms de personnalités, affectés chacun d'une mystérieuse série de chiffres allant de 1 à 1 600. Une froideur administrative kafkaïenne, qu'aucun commentaire ne vient troubler. Seuls des nombres qui s'alignent comme sur un listing d'ordinateur.

Orné de la mention « REF. PAT » (pour « Référence : Patricia », la secrétaire de Christian Prouteau), il date de l'année 1984. Plusieurs éléments donnent à penser que ce copieux fichier au code ultrasecret est largement centré autour de l'écrivain Jean-Edern Hallier qui préparait à l'époque un tonitruant pamphlet sur la vie de François Mitterrand (voir chapitre deux).

Le nom de ce fichier paraît faire référence à l'enlèvement controversé de l'écrivain, deux ans auparavant. Un enlèvement très parisien, à la sortie de *La Closerie des Lilas*, qui a alimenté toutes les rumeurs, avant que sa « victime » ne réapparaisse comme par miracle dix jours plus tard. C'était indéniablement l'homme dont l'Élysée paraissait redouter le plus les révélations à l'époque.

Kidnapping pourrait contenir le nom de la totalité des personnes qui ont alors été en contact, un jour ou l'autre, avec l'écrivain. Les mystérieux numéros cités seraient autant de références à des conversations soigneusement mémorisées dans les archives secrètes de l'Élysée. Ce que semble confirmer l'ancien membre de la cellule Paul Barril, lors d'une audition par le juge Valat : « Une fois toutes ces données enregistrées, si nous interrogions l'ordinateur avec un nom, un sujet ou une organisation, il nous ressortait toutes les conversations qui y avaient trait. Cela permettait des recoupements extraordinaires. »

De fait, cet énigmatique fichier embrasse tout le gotha parisien. Aucun domaine n'y échappe : la politique, les arts, la presse, l'édition, le barreau, les affaires. L'échantillonnage du milieu politique est édifiant. Il tend à prouver que la quasi-totalité des hommes qui comptaient à l'époque – majorité et opposition confondues – étaient fichés au « Château ». On y trouve,

consciencieusement recensés par ordre alpha-
bétique : Robert Badinter, Raymond Barre,
Pierre Bérégovoy, Jean-Pierre Chevènement,
Jacques Chirac, Michel Debré, Claude Estier,
Valéry Giscard d'Estaing, Laurent Fabius,
Charles Hernu, Pierre Joxe, Bernard Kouchner,
André Laurent, Jean-Marie Le Pen, Alain Made-
lin, Louis Mexandeau, Charles Pasqua, Philippe
Séguin, Robert-André Vivien...

Quel autre prince d'une démocratie occiden-
tale a ainsi eu le front de faire écouter les conversations de la moitié de son gouvernement, de ses
amis les plus proches, et épier sans vergogne
tous les ténors de son opposition ? Tout cela
parce qu'un écrivain fantasque, qui avait compté
un moment parmi le cercle de ses intimes, avait
décidé d'ébruiter une autre part de sa vérité...

II

La double vie
de François Mitterrand

Après avoir été créée à grand fracas pour traquer les plus dangereux terroristes internationaux, l'une des principales missions de la cellule
élyséenne va curieusement consister à protéger
une fillette. Dix ans plus tard, en 1994, cette
enfant, devenue jeune femme, fera la une de
Paris Match : Mazarine, fille longtemps cachée
de François Mitterrand et d'Anne Pingeot, éru-
dite conservateur de musée dont le Président a
fait la connaissance quelque vingt ans plus tôt,
voit son existence subitement révélée au grand
public. Pendant les deux septennats de François
Mitterrand, elle n'en a pas moins constitué l'un
des secrets les mieux gardés de la République. Le
microcosme parisien était certes plus ou moins
au courant, mais il préférait garder le silence sur
un sujet qui, après tout, relevait de la vie privée.
Dès 1981, l'attachement très fort du père pour
cette enfant et son existence même posèrent un

épineux problème aux services chargés de la protection présidentielle, et constituèrent d'emblée une affaire d'État. Comment préserver ce secret qui risquait d'être mal perçu par les Français ? Surtout, comment écarter les risques d'enlèvement ou de chantage autour de Mazarine ?

Peu à peu, la cellule élyséenne devient le rempart de ce lourd mystère. Toute une partie de son activité est tournée vers la surveillance de Mazarine, mais aussi, de façon plus large, vers la protection de la vie privée de François Mitterrand et des siens. Cet individualiste qui aime les plaisirs de la vie, les voyages à Venise ou à Florence, a toujours farouchement souhaité préserver sa liberté de mouvement et d'esprit. Il a trouvé avec la cellule un outil idéal, mais qui entraîne parfois une confusion inédite entre service de la République et service privé ou d'ordre familial.

Dès mai 1981, Mazarine, pourtant sans statut officiel, a ainsi bénéficié d'une protection personnelle composée de plusieurs gendarmes, dont l'un ne la quittera pas durant plus de dix ans. Au demeurant, toute la famille du Président – son épouse Danielle, bien entendu, ses enfants et petits-enfants, mais jusqu'à son beau-frère, l'acteur Roger Hanin, et à sa belle-sœur, la productrice de cinéma Christine Gouze-Raynal – bénéficiera elle aussi d'une protection rapprochée, composée à la fois de gendarmes et de policiers des Voyages officiels. Jusqu'aux élections de 1995, le « commissaire Navarro » se verra ainsi encadré ou suivi par deux « gorilles »...

Les hommes de Christian Prouteau passent même parfois à l'action pour empêcher coûte que coûte que les méandres de la vie privée du Président ne soient révélés au public. En 1982, le pouvoir s'alarme d'une émission sulfureuse que prépare à ce sujet une radio libre et libertine, *Carbone 14*. Le ministère de l'Intérieur, placé sur le pied de guerre par l'Élysée, lance la PJ et les RG aux trousses des pirates des ondes. Un juge d'instruction, Martine Anzani, est même discrètement chargée d'instruire ce dossier sensible. Problème : comment « censurer » cette émission dès lors que la Justice est saisie ? C'est alors qu'entrent en scène « Zorro » Prouteau et son fidèle Barril, qui envoient leurs hommes régler radicalement le problème, à la surprise des policiers en planque autour de *Carbone 14*. Ceux-ci voient soudain débouler les hommes de la cellule et les regardent s'affairer à cisailler sans états d'âme le câble de l'émetteur ! En toute impunité, puisque le secrétariat d'État à la Sécurité, alerté, étouffera l'affaire.

Moins brutales, mais au moins aussi redoutables, une partie des écoutes élyséennes servent directement à préserver le secret de la vie privée de François Mitterrand. Le 12 septembre 1985, les hommes de Prouteau placent une « bretelle » rue Jacob, dans le VIe arrondissement de Paris, dans l'immeuble même où habitent l'amie du

Président, Anne Pingeot, et sa fille. La cible de la cellule est la boutique de « meubles modernes » *Ready Made* (comme le précise la fiche conservée à l'Élysée), placée sur écoutes sous le pseudonyme de « Rouen ». Sa responsable, Marguerite Corréa, a aussi droit, le lendemain, à un branchement à son domicile tout proche, rue des Saints-Pères, sous le charmant nom de code de « Crabe ». Dès le 13 septembre, les magnétophones se mettent en marche. La cellule a mis dans le mille : Marguerite Corréa compose un numéro de téléphone qui se révèle être celui du « lieu de travail d'Anne Pingeot », un grand musée parisien. Du coup, la compagne du Président et le musée ont droit à leur fiche à l'Élysée. Il est probable que Christian Prouteau, qui a personnellement commandé ces branchements, n'a pu le faire sans l'aval du Président, ou, à tout le moins, lui en a rendu compte. Rares dans l'histoire sont les individus à avoir bénéficié d'un tel système d'écoutes officiel à usage aussi privé...

Les deux mises sur écoutes de Marguerite Corréa cessent le 1ᵉʳ octobre suivant. Fuites ? Affaire personnelle ? Ou problème de sécurité ? L'appartement de la rue Jacob n'est en tout cas plus jugé assez sûr : la mère et l'enfant emménagent alors dans une dépendance de la Présidence de la République, quai Branly, à Paris. Ces anciennes écuries de Napoléon III, dans lesquelles est installé le service du courrier de l'Élysée, comprennent de luxueux appartements de fonction réservés aux haut gradés de l'état-major particulier et à certains membres privilégiés du « Château ». Ils sont placés sous haute protection. Une fois franchi le porche de cet imposant bâtiment situé sur les quais, face au pont de l'Alma, l'accès à l'appartement du premier étage de l'aile gauche, réservé au Président, à Mazarine et à sa mère, se fait par une porte vitrée, obligatoirement ouverte par un militaire en civil. L'appartement du deuxième étage est occupé à l'époque par le vieil ami de François Mitterrand, François de Grossouvre, friand d'affaires d'espionnage et de police, qui a vu grandir Mazarine et s'occupe beaucoup d'elle, notamment en l'initiant à l'équitation.

C'est au château de Souzy-la-Briche, dans l'Essonne, l'une des villégiatures réservées au Président de la République, qu'ils font du cheval ensemble. Un château qui, lui aussi, a droit à sa fiche dans le dossier *TPH*, alors qu'il fait l'objet de la curiosité d'un journaliste de *Minute*, Jean Roberto, placé sur écoutes sous le pseudonyme d'« Édith ». On peut en effet lire dans le fichier *TPH* : « Édith appelle le 26-12-84 la ferme du château de Souzy-la-Briche. » Le branchement de Jean Roberto, opéré dans les locaux de la Société des Éditions parisiennes associées, siège de *Minute*, montre, s'il en était besoin, l'efficacité de la cellule : « Je figurais avec le numéro de téléphone que j'avais à l'époque en tant que chef des informations générales, a indiqué le journaliste entendu par le juge Valat. Je précise que ce numéro correspondait à ma ligne directe, qui n'était pas dans l'annuaire. »

Dès que le nom de Mazarine ou celui de sa mère apparaît dans une conversation enregistrée, les hommes du Président le consignent méticuleusement. En témoigne un échange retranscrit mot pour mot, sous forme de dialogue, entre une enseignante du lycée Henri-IV et un journaliste. À l'origine de cet appel, le problème, nouveau pour l'époque, de la « carte scolaire », qui oblige les élèves parisiens à s'inscrire dans un lycée de leur quartier et leur interdit donc de choisir leur établissement. Une aubaine pour les familles vivant à proximité de lycées prestigieux, mais qui entraîne un système parallèle de dérogations pour les élèves habitant des arrondissements moins privilégiés. C'est précisément ce qu'obtient François Mitterrand, à la rentrée de 1985, pour sa fille Mazarine (par ailleurs élève douée, qui intégrera plus tard l'École normale supérieure), laquelle entre alors en 6e.

Le 5 février 1986, ce professeur d'Henri-IV appelle un ami journaliste pour savoir si, derrière la campagne de presse sur les dérogations à la « carte scolaire », il n'y a pas en sous-main une opération visant François Mitterrand. Compte rendu littéral de l'écoute par les hommes de l'Élysée (nous avons volontairement protégé l'anonymat du journaliste) :

L'enseignante : C'est pour un petit truc tout bête qui ne me concerne pas d'ailleurs... et qui m'a énervée, cet après-midi. J'ai reçu mes copains d'Henri-IV, c'est-à-dire vraiment des gens sympas à Henri-IV. Il y a la campagne sur les inscriptions. J'ai, là, un petit article et c'est à ce sujet que je téléphone. Est-ce qu'il n'y a pas là-dessous... Est-ce que tu sais qu'il y a une petite fille dont tu m'avais parlé une fois...

Le journaliste : Une petite fille ?

E. : Il y a, mais moi, je n'ai aucune preuve, bien sûr...

J. : Une petite fille, donc ?

E. : Une gamine qui serait la fille du Président.

J. : Mais elle a déjà cet âge-là ?

E. : Oui, elle est à Henri-IV... Alors je me suis dit : c'est bizarre, cette histoire...

J. : D'accord, Mazarine... Mazarine, elle s'appelle de son prénom...

E. : Et son nom de famille, c'est pas... ?

J. : Non.

E. : Ils l'ont, mais je l'ai oublié. Elle est en 6ᵉ et je ne sais pas si elle est « sectorisée », comme on dit à Henri-IV (...). Moi, ça ne m'a pas étonnée, depuis le temps que je vous parle des dérogations à Henri-IV, ça ne date pas de 1981. Je me suis tapée toute la mairie de Paris et des tas d'autres (...). D'autre part, les copains étaient agacés parce que, justement, tout le monde savait l'histoire de la gamine... parce que le proviseur, en début d'année, a été appelé à l'Élysée... Il l'a dit devant tout le monde...

J. : Et elle est si âgée que ça ? Moi, je la croyais beaucoup plus jeune, cette enfant. Moi, d'après ce que j'en ai entendu parler, elle avait trois ans, quatre en 1980, quoi...

E. : Si je te téléphone, justement, c'est parce que...

J. : Écoute, je vais en parler au journaliste qui a fait le truc là-dessus pour voir s'il est au courant, qu'il ne se fasse pas manipuler, quoi...

E. : C'est exactement ça, pour qu'il ne se fasse pas manipuler...

J. : Je vais voir tout ça. De toute façon, il est resté très imprécis, il n'a livré aucun enfant à la vindicte...

Un véritable procès-verbal de gendarmerie sous forme de retranscription intégrale, réservée d'ordinaire aux plus brûlantes conversations. Il est vrai que, depuis plus de deux ans, les « écouteurs » sont sur les dents : le tonitruant Jean-Edern Hallier menace à tout instant de publier un ouvrage-choc dont il n'a dévoilé que le titre provocateur : *Tonton et Mazarine*. Il deviendra – dès 1983, selon Paul Barril – l'abonné le plus ancien de la cellule de l'Élysée. Bavard impénitent, personnalité remuante du Tout-Paris, il entraîne à sa suite un nombre considérable de victimes écoutées à leur tour, à tel point, on l'a vu, qu'un fichier spécial de 800 pages, *Kidnapping,* est spécialement créé à son intention. Pourquoi cet acharnement ?

Il est vrai que, depuis trente ans, l'auteur du *Bréviaire pour une jeunesse déracinée* a l'art de susciter polémiques et esclandres. Ce fils de général, qui a tendance à se prendre pour l'égal de Victor Hugo, n'a pas raté une occasion de faire parler de lui : après avoir cofondé, à vingt-quatre ans, en 1960, la revue *Tel Quel* avec Philippe Sollers, il est le seul ultra-gauchiste de Mai 68 à sillonner le quartier Latin en Ferrari rouge pour vendre *L'Idiot international*, journal qu'il a fait patronner par Jean-Paul Sartre et Simone de Beauvoir, et qu'il publie à l'époque grâce à l'aide généreuse de son épouse, fille d'un milliardaire italien. Plus tard, la disparition, jamais élucidée, de fonds qu'il devait convoyer à des rebelles chiliens, jette un sérieux froid parmi ses anciens compagnons de « lutte ». Il se tourne à nouveau vers la littérature dans les années 70 et, porté aux yeux de certains critiques par un réel talent de plume, il publie romans, pamphlets et récits de qualité inégale, dont l'un – ironie de l'histoire ! – lui vaut d'ailleurs les éloges appuyés de François Mitterrand.

Le Premier secrétaire du Parti socialiste de l'époque salue en effet la parution de *Chagrin d'amour* dans une interview exceptionnelle parue dans *Le Nouvel Observateur* du 18 novembre 1974 : « Jean-Edern Hallier est un grand écrivain (...). Il confirme l'opinion que j'avais de son talent vaste et fort, commente François Mitterrand. *Chagrin d'amour* est un livre intégralement autobiographique. Quand Edern Hallier cessera de parler d'Edern Hallier, lui restera-t-il quelque chose à dire ? » Le futur Président est moins enthousiaste sur les passages qui le concernent ou qui évoquent la politique : « Jean-Edern Hallier me prend pour un Ledru-Rollin plus rusé que l'original (...). Je n'ai pas aimé non plus ce qu'il a écrit du Chili, de Régis Debray, de Toha, d'Allende et de beaucoup d'autres encore (...). Mais le récit qu'il fait de Marie La Bretonne et des rites funéraires autour du corps est un chef-d'œuvre. » Et il conclut : « L'écrivain se place au premier rang de sa génération » – jugement dithyrambique que l'intéressé n'omettra jamais de citer dans ses joutes à venir avec l'Élysée.

La publication en 1979 d'un violent pamphlet contre Valéry Giscard d'Estaing, *Lettre ouverte au colin froid,* ne peut que rapprocher les deux hommes. Le leader de l'opposition de l'époque, homme de culture, féru de littérature, accueille alors souvent, non sans une certaine complicité, le flamboyant polémiste. Ils échangent quelques confidences littéraires : Mitterrand qui, comme toujours, reste sur la réserve, s'amuse de la faconde, de la fébrilité et des élucubrations de « Jean-Edern ».

C'est, curieusement, l'élection de François Mitterrand à l'Élysée qui va les séparer. En 1981, « l'écrivain qui se place au premier rang de sa génération » se voit déjà ministre de la Culture, ou pour le moins patron d'une chaîne de télévision, ou présentateur-vedette d'une émission littéraire. Ce qui ne l'empêche pas, dans une chronique du *Matin de Paris*, de dénoncer le ridicule de la cérémonie du Panthéon, où, prétend-il, « il tenait le parapluie de Danielle Mitterrand ». La nomination de Jack Lang au ministère de la Culture et le silence du nouveau Président, qui ne lui propose aucun poste, en font l'un des premiers déçus du socialisme. Dans son style inimitable, il transforme son dépit en refus de plier devant le pouvoir : « Les idées de Mai 68, auxquelles j'avais tellement contribué, me paraissaient les vieilles lunes des barbus qui ne songeaient plus qu'à une chose : s'installer dans les ors et le stuc des palais officiels. J'étais un aristo, un talon-rouge déçu, un La Fayette perdu dans un Directoire corrompu qui se prétendait montagnard. »

Un autre événement va contribuer à marginaliser davantage Jean-Edern Hallier. Le 25 avril 1982, voici qu'il disparaît subitement après avoir dîné à La Closerie des Lilas. L'action est revendiquée par de mystérieuses Brigades révolutionnaires françaises. Pendant dix jours, tout Paris, ses proches et les enquêteurs de la Brigade criminelle s'interrogent sur cet enlèvement. Vrai ? Faux ? Toujours est-il que l'écrivain réapparaît, le 4 mai à une heure du matin, dans une rue tranquille de Neuilly où les ravisseurs l'auraient déposé. Saisi, le juge Grellier enquête. Jean-

Edern Hallier raconte qu'il a été séquestré, « en slip, dans un grand placard », mais que, « grâce à sa dialectique », il a réussi à retourner le chef des ravisseurs, « un grand bronzé, le visage toujours dissimulé derrière des lunettes noires, au physique de Corse RPR de Marseille ». Les enquêteurs sont sceptiques. Leurs recherches s'enlisent et, finalement, en mars 1984, le juge Grellier rend une ordonnance de non-lieu qui blanchit l'écrivain sans toutefois dissiper le malaise.

Dix ans plus tard, Cyrille Soudoplatov, un inquiétant baroudeur qui a vécu un temps dans l'ombre de l'écrivain, revendiquera l'enlèvement. Selon lui, le coup fut préparé de connivence avec Jean-Edern Hallier « qui ne trouvait pas juste qu'un grand écrivain comme lui, un poète, ne devienne pas célèbre quand tant d'autres minables nageaient dans la notoriété ». Soudoplatov l'aurait « séquestré » dix jours dans son appartement du XVIe arrondissement. Toujours sur ordre de « Jean-Edern », il aurait par ailleurs cambriolé l'appartement du patron du *Nouvel Observateur*, Jean Daniel (ce que celui-ci confirmera), et perpétré l'attentat à l'explosif contre l'immeuble, heureusement vide, de Régis Debray. À ces révélations tardives, Hallier répondra que « Soudoplatov est un psychopathe pitoyable, auteur d'un hold-up et déclaré irresponsable par la justice. Je l'avais engagé pour vendre *L'Idiot* et remercié parce qu'il volait dans la caisse ».

Les « écouteurs » de l'Élysée auront d'ailleurs l'occasion de voir resurgir cet étrange personnage au fil de leurs enregistrements. Ils ne s'y trompent pas : au bas d'une conversation entre Soudoplatov et l'écrivain, le 26 novembre 1985, ils notent : « Cyrille est l'homme d'"action" de Kid (l'enlèvement...) »

Cette fois, tout poste officiel semble définitivement exclu pour l'acteur principal de cette pantalonnade. Si la droite s'en gausse ou en sourit, la gauche s'en offusque. François Mitterrand ne donne plus signe de vie.

Avec une constance qui ne se démentira plus, Jean-Edern Hallier va alors s'employer à détruire ce qu'il avait feint d'adorer. En sus de tout ce qu'il a déjà pu glaner dans l'intimité de François Mitterrand, l'écrivain commence à accumuler des petits secrets sur son ancien « grand homme ». Ses ennuis d'argent chroniques précipitent les choses. « Déçu par la gauche, privé de mon bloc-notes au *Matin*, dépité de n'avoir pas été récompensé pour tous mes efforts en faveur de l'élection de François Mitterrand, je décide, en 1983, que je ne paierai plus mes impôts, expliquera-t-il au *Point*. J'envoie donc une lettre au trésorier-payeur général, dans laquelle je me présentais comme l'"enfant non reconnu de la gauche" et où je m'identifiais à la petite Mazarine, la fille adultérine de François Mitterrand. À l'époque, ce sujet était totalement tabou. J'envoie un double de la lettre au Président et à Pierre Bérégovoy. Dans les mois qui suivent, ce qui n'a d'abord été qu'une lettre au percepteur se change peu à peu en une enquête littéraire, un pamphlet sur le passé de Mitterrand. »

Entre provocation et chantage, Jean-Edern Hallier s'attaque en effet à un tabou. Égratigner François Mitterrand à l'époque, surtout sur sa vie privée, relevait du blasphème. Seule Françoise Giroud, dans *Le Bon Plaisir*, avait osé forger une fiction sur les relations entre un Président et son enfant naturel, laquelle avait été – hasard perfide ? – publiée aux Éditions Mazarine... Mais, dès 1983, Jean-Edern Hallier, dans sa croisade personnelle, va aller beaucoup plus loin et exhumer des pans entiers, jusque-là occultés, du passé de François Mitterrand : le flirt avec la Cagoule, la francisque, l'affaire de l'Observatoire, Mazarine... Bref, tout ce qui, dix ans plus tard, tombera dans le domaine public avec plusieurs grands succès de librairie. Rapidement, il songe à rassembler ces éléments épars dans un pamphlet au vitriol dont le titre évoluera au fil des mois : *Tonton et Mazarine, Le Duel du Président et de l'écrivain*, ou *L'Honneur perdu de François Mitterrand* (finalement retenu).

Cet ouvrage foisonnant mêle dans un flot incantatoire des éléments réellement compromettants du passé de François Mitterrand et les amalgames et les fantasmes les plus échevelés de l'auteur. Jean-Edern Hallier n'a en effet pas son pareil pour susciter les confidences : il rencontre d'anciennes amies du Président, il retrouve Robert Pesquet, l'auteur de l'attentat de l'Observatoire, qui lui confie son journal intime de l'époque, il enquête sur la jeunesse droitière du jeune François à Vichy et reconstitue par le menu toute l'histoire de Mazarine. Mais, dans le même temps, emporté par son délire, il brode sur les prétendues obsessions de François Mitterrand, son « goût pour les femmes portant des cols Claudine », et finit par se mettre lui-même en scène dans des orgies en compagnie du Président !

Le 6 mars 1984, dans une tonitruante conférence de presse, il annonce officiellement la parution prochaine de son pamphlet. Pour l'Élysée, c'en est trop : que penseraient les Français s'ils apprenaient tout à coup que leur Président a flirté jadis avec l'extrême droite, arboré la francisque, et est de surcroît le père d'une enfant morganatique ? Pour les gendarmes de l'Élysée, le trublion se change en ennemi public numéro un.

« Hallier risquait de porter atteinte à Mazarine, donc à l'entourage du Chef de l'État, et par voie de conséquence à sa sécurité dont j'avais la charge, se justifiera bien plus tard Christian Prouteau, patron de la cellule, dans un entretien à *VSD*. De plus, Jean-Edern tirait sur les pigeons avec un pistolet 11-43. Il pouvait aussi bien tirer sur le Chef de l'État ou Mazarine ! À cette époque, j'ai déjeuné avec Hallier dans un restaurant près du Palais de justice, *Le Vert-Galant*. Il m'a demandé : "Je suis écouté. Pourquoi ?" Je lui ai répondu simplement : "Si vous ne menaciez pas le Chef de l'État, vous ne seriez pas emmerdé !" Je me souviens même qu'une nuit, Jean-Edern Hallier s'était fait déposer en face de l'Élysée, habillé en moine, et enchaîné... Il était capable de tout, du pire et du meilleur... »

Confirmation de l'ancien directeur de cabinet de Laurent Fabius, Louis Schweitzer, le 4 avril 1995, au juge Valat : « Jean-Edern Hallier était déjà écouté au moment où j'ai pris mes fonctions [en juillet 1984]. » L'actuel PDG de Renault a lui-même signé par la suite des demandes d'écoutes visant l'écrivain : « Il était (...) perçu comme une menace pour le Président de la République et son entourage. Je précise que je ne sais plus si je connaissais à l'époque l'existence de Mazarine. »

La menace constituée par Hallier déclenche donc l'arme lourde : une batterie d'écoutes sans précédent. Pour la seule période allant du 4 septembre 1985 au 19 mars 1986, 640 relevés de ses conversations sont archivés dans les ordinateurs de l'Élysée, ne laissant dans l'ombre aucun détail de sa vie littéraire ou privée. Grâce à la dame en noir, ils sont aujourd'hui entre les mains du juge Valat. Encore ne constituent-ils qu'une infime partie des écoutes de l'écrivain : outre celles des années précédentes, ces 640 écoutes réalisées au domicile de son épouse Christine Cappelle-Hallier (nom de code : « Cape ») sont complétées par une avalanche de branchements. Fidèles à leur technique d'« écoutes en étoile » – tout correspondant intéressant se trouve à son tour branché –, les hommes de Christian Prouteau placent des « bretelles » sur tout ce qui l'environne.

Jean-Edern Hallier ne pourra bientôt plus faire un pas ni proférer un mot sans être pisté. La cellule veut-elle savoir si l'écrivain reste à dîner chez lui ? Elle met froidement sur écoutes le téléphone de sa cuisinière équatorienne, Vasquaíses Piedade (code : « Fabulateur »). A-t-il l'habitude de prendre son petit déjeuner au café en bas de chez lui, *Le Vieux Comptoir* ? Écoute (code : « Vieux »). Donne-t-il des rendez-vous au célèbre bar de *La Closerie des Lilas* ? Écoute (code : « Classe »). Négocie-t-il un contrat avec l'éditeur Lionel Labrousse ? Écoute (code : « Labre »). Ce dernier téléphone-t-il depuis sa société, les Éditions de l'Équerre ? Écoute (« Labre 2 »). Hallier veut-il faire composer *L'Idiot international* par la société Écat ? Écoute de son patron, Philippe Parot (code : « Papa 1 ») et de sa société (« Papa 2 »). A-t-il coutume d'appeler son vieil ami de Mai 68, Sylver Sembat ? Les gendarmes accourent (code : « Sud »). S'épanche-t-il auprès de François Dutourd, fils de son ami académicien Jean Dutourd ? Nouvelle bretelle (code : « Devin »). Va-t-il s'isoler pour terminer un livre à l'hôtel Montalembert ? Branchement (code : « Mono »).

Jean-Edern Hallier résumera cette crise d'espionnite aiguë d'une formule lapidaire : « Les gendarmes ont tissé une gigantesque toile d'araignée d'État autour de moi. Comme on ne voulait plus m'entendre, on m'a fait écouter. » Moralité : ce n'est pas parce qu'on est « parano » qu'on n'est pas persécuté...

François Mitterrand, l'ami des Lettres, le chantre des Libertés, laisse donc ses sbires mettre tout en œuvre pour faire taire un auteur qui a eu l'effronterie de vouloir l'attaquer. Une lettre de cachet à l'ère des télécommunications.

À l'époque, Jean-Edern Hallier a achevé la rédaction de *L'Honneur perdu de François Mitterrand* et le propose à certains parmi les principaux éditeurs de Paris – qui tous le repoussent. « Impubliable en l'état », répondent-ils en chœur, peut-être aussi soucieux de ne pas s'attirer les foudres du « Château » et/ou de l'administration fiscale. « L'Élysée a multiplié les pressions sur tous les éditeurs », prétend Hallier. Ne parvenant pas à faire publier son texte en volume, le pamphlétaire décide alors de ressusciter *L'Idiot international* pour le faire paraître en feuilleton. Du coup, la cellule élyséenne est en permanence sur le qui-vive, d'autant plus qu'une écoute leur apprend un beau jour qu'Hallier s'apprête à y ajouter un chapitre de cent pages sur l'affaire Greenpeace !

Rarement police parallèle d'un pays démocratique aura ainsi accumulé autant d'informations précises sur un individu, écrivain de surcroît. Après en avoir gommé tout aspect trop personnel, le lecteur trouvera exposée ci-après la moisson de la traque téléphonique quotidienne de cet extravagant pamphlétaire. À l'heure où l'on se plaint de la disparition des grandes correspondances littéraires au profit de communications téléphoniques qui ne laissent aucune trace, la cellule élyséenne, mue par des intentions coupables, a apporté sa modeste et involontaire contribution à l'histoire des lettres françaises en cette fin du XXᵉ siècle...

À quoi ressemblent les comptes rendus d'écoutes de l'Élysée ? La présentation en est assez sophistiquée[1] : date, heure, adresse, numéro de téléphone, sujets traités... Le compte rendu de l'écoute est présenté le plus souvent sous forme de résumé, plus rarement sous forme de conversation intégrale. Les plus longs peuvent couvrir plusieurs pages. Bref, un « maillage » qui, en théorie, ne doit laisser échapper aucune information utile.

Les six mois précédant les élections législatives de mars 1986, qui s'annoncent serrées, sont particulièrement animés. Voici le récit détaillé de la traque de « Jean-Edern » par les hommes

---

1. Voir Annexes, pages 229 et sq.

de Christian Prouteau à partir du 4 septembre 1985, 15 heures 15. Tout commence, comme souvent à Paris, par des déjeuners en ville...

Les « grandes oreilles » de l'Élysée n'ignorent bientôt plus rien des relations entre l'écrivain et les convives avec lesquels il aime à s'attabler. Grâce aux écoutes de la fin octobre 1985, ils savent par exemple que Jean-Edern Hallier déjeune le 22 octobre au *Récamier* avec Michel Déon, le lendemain avec Francis Esmenard, patron des Éditions Albin Michel, le surlende-main, *Chez Le Duc*, avec Guy Schoeller, directeur de la collection « Bouquins », le 28 avec l'un des responsables des Éditions Denoël à *La Closerie des Lilas*, le 29 avec Dominique Van Lier, autre éditeur, et enfin, le 4 novembre, avec Franz-Oli-vier Giesbert, alors rédacteur en chef du *Nouvel Observateur*, *Chez Gérard*, rue du Mail. Soit quinze jours dans la vie gastronomico-mondaine d'un homme de lettres écouté sous les sobriquets successifs de « Kid » (pour « kidnapping »), « Fou », « Fabulateur » et « Débile ».

Dès le 4 septembre 1985, les hommes de la cel-lule déduisent d'une conversation entre « Jean-Edern » et une collaboratrice des Éditions Albin Michel, que Richard Ducousset, adjoint de Fran-cis Esmenard, « travaille sur le dossier de *L'Idiot* et que "Fou" voudrait obtenir un protocole d'ac-cord avant de partir en Corse ». Inquiets, les enquêteurs le suivent à la trace. « Le 5, notent-ils scrupuleusement, il réserve deux places sur le vol 6045 pour Calvi. » Les « écouteurs » soufflent donc pendant quinze jours, non sans avoir précisé : « Kid a fait des dettes en Corse. » Mais, dès le 24, une vieille connaissance, Cyrille Soudoplatov, se manifeste : « Il recherche les clefs de la mobylette » [?]. Le même jour, « Jean-Edern » reprend ses contacts dans les milieux parisiens et appelle Franz-Olivier Giesbert au *Nouvel Observateur* pour l'« informer qu'après un travail intensif, il a terminé un livre sur le père Charles de Foucauld, l'œuvre de sa vie, et qu'il prépare un grand retour dans les médias et dans la vie après un long silence et une longue traversée du désert ».

La cellule n'hésite pas non plus à consigner une conversation avec son avocat – pourtant profession protégée –, Mᵉ Francis Szpiner, à propos d'un chèque de 75 000 francs des NMPP (distributeurs de *L'Idiot international*). Un autre avocat, Mᵉ Mazurier, qui se présente comme le défenseur de terroristes libanais, propose à « Kid », le 24 octobre, des révélations (sur la DST) en vue d'un article. « Kid » répond qu'« il n'est pas encore en activité en tant que journaliste, [qu']il en a encore pour un mois avant d'achever son roman ». À l'occasion de cette même conversation, les hommes de la cellule montrent jusqu'où va leur curiosité teintée de voyeurisme : « Les deux hommes évoquent une amie commune qui a deux maris, trois amants, deux enfants et qui ne veut pas d'un quatrième amant... »

Les incessants ennuis d'argent de Jean-Edern Hallier font également les délices des membres de la cellule. Avec quelles arrière-pensées ? Toujours est-il qu'ils n'en laissent pas échapper un centime. Le 6 septembre, ils notent : « La banque lui a accordé un découvert » ; le 11, ils précisent : « Kid devrait avoir l'accord pour deux prêts dès demain (Crédit Agricole, Via Banque) » ; le 26, à propos d'un coup de fil à l'un de ses banquiers, ils relèvent : « Kid s'étonne de n'avoir plus d'argent, car il a déposé huit "briques" sur son compte il y a trois jours. » Le banquier énumère alors le détail de toutes ses sorties d'argent... Le 4 novembre, ils reproduisent intégralement une conversation avec l'un de ses éditeurs :

L'Éditeur : Ce n'est pas la peine d'emmerder mon comptable, il a du travail ; de toute façon, il ne paiera pas sans que je lui donne des ordres...

Kid : Je t'apporte la facture... celle de la dactylo.

É. : J'en ai déjà une. C'est une autre, celle-là ? J'ai déjà dit que je ne paierais pas avant d'avoir tout et de voir où j'allais. Je n'ai pas payé l'autre et je ne paierai pas celle-là.

K. : Comment veux-tu que je la paie, je n'ai pas d'argent ?

Trois jours plus tard, poussant plus loin leurs investigations financières, les « grandes oreilles » apprennent au détour d'une écoute que les NMPP ont pris une hypothèque sur un manoir de la famille Hallier en Bretagne. Ils consignent scrupuleusement l'entretien avec le bureau des hypothèques de Quimper : « Il y a quatre hypothèques légales et une judiciaire sur le manoir (Sabirot : 158 000, toutes les autres du Trésor) ; il y a les sommes de 13 566, 311 000, 53 000, 293 392 francs. » Dans un registre plus trivial, les gendarmes, décidément très méticuleux, suivent de près les tractations de l'épouse de l'écrivain avec l'assureur de sa moto. « La moto de Kid (4867 WWB 75) n'est pas assurée, car les primes n'ont pas été payées. » (« Pas de paiement, plus d'assurance, c'est comme ça, ma p'tite dame », lui lance une employée.) Ils vont même jusqu'à s'intéresser, en termes très gendarmesques, aux relations de l'écrivain avec son tailleur : « Il semble que la facture due soit relative à l'achat de costumes de ville. Quand il les paiera, il leur en prendra quatre d'un coup. Kid traverse une période vraiment dure et s'en sort à peine. »

Enfin, les gendarmes profitent d'une conversation entre l'épouse et le frère de « Kid » pour faire le point sur la situation fiscale et la succession familiale des Hallier. Tout y passe : le moratoire accordé par le fisc, les biens en indivision,

l'hypothèque légale et jusqu'à l'héritage du
« vieux papa »...

Coup de tonnerre, le 5 novembre à
10 heures 14 : Jean-Edern Hallier demande à un
commissaire-priseur « de procéder vendredi soir
à la salle des ventes [on ignore laquelle], à la mise
aux enchères de deux manuscrits : celui du *Père
de Foucauld* et celui de *L'Honneur perdu de François Mitterrand* ». Mise à prix : entre deux et trois
« briques ». Toutefois, il se heurte à une diffi-
culté en ce qui concerne la mise en vente de
L'Honneur perdu, car c'est le capitaine Barril qui
détient le manuscrit ! Il va donc tenter de joindre
Barril pour le récupérer. « Kid » estime que « des
gens comme Dalle [patron de l'Oréal et ami
proche du Président] peuvent très bien l'acheter ».

Le retour de ce manuscrit est particulièrement
malvenu à l'approche des élections législatives
de mars 1986. Quelques mois auparavant, la
chasse au fameux pamphlet avait été l'un des
sports les plus pratiqués par les services de renseignement français. L'ancien de la cellule, Paul
Barril, était parvenu pour sa part à s'en procurer
un exemplaire. Un commissaire des RG de la
préfecture de Police s'était, lui, fait passer pour
un correspondant français de l'agence Reuter ;
invoquant la nécessité de montrer le texte au
patron de l'agence avant d'en diffuser de larges
extraits sur tous les téléscripteurs de la planète,
le faux journaliste (mais vrai flic) avait lui aussi

récupéré un exemplaire du manuscrit. Il le remit alors en mains propres au patron des RG et au préfet de police Guy Fougier. Effrayé par le contenu et surtout par la crudité des expressions relatives à la vie privée du Président, le haut fonctionnaire ne sut trop en quels termes rendre compte à sa hiérarchie de l'encombrant brûlot.

Finalement, le pamphlet n'est pas rendu public. Prudence ? Proximité des élections ? Autre raison ? La vente aux enchères non plus n'a pas lieu.

Certaines conversations écoutées concernent encore plus directement l'entourage du Président de la République et montrent que Jean-Edern Hallier est parfois informé très tôt des rumeurs qui concernent le « Château ». Le 6 décembre 1985, après avoir évoqué Jacques Attali, Jean Cau lui demande : « Tu connais Bloubil (*sic*) ? »

Kid : « Oui, il y a un dossier sur lui qui n'est jamais sorti ; il a fait des coups, il a fait tous les grands trucs d'affaires de rachats d'entreprises... »

Alors conseiller pour les Affaires industrielles à l'Élysée, Alain Boublil ne sera connu du grand public que plusieurs années plus tard, à l'occasion de l'« affaire Péchiney ». Il sera condamné à un an de prison dans cette affaire de délit d'initié relatif au rachat d'une grosse entreprise américaine par la multinationale française.

De même, dix ans avant la publication de l'enquête très complète de Pierre Péan sur le passé vichyste de François Mitterrand, *Une jeunesse française*[1], Jean-Edern Hallier raconte au téléphone à un journaliste du *Quotidien de Paris* : « Marguerite Duras et François Mitterrand sont tous deux témoins de la résistance de l'autre, mais ils sont tous les deux les seuls à avoir vu que l'autre résistait. » Un chapitre sulfureux dont le traitant, « Pyves » (Pierre-Yves Gilleron), ne perd pas une miette...

Quelques semaines plus tard, les gendarmes de l'Élysée ont la primeur d'une autre information qui les intéresse au premier chef. Jean-Edern Hallier, qui n'est pas à une contradiction près, confie à un ami : « Ce matin, j'ai adressé à Danielle Mitterrand le pamphlet en lui disant : "Voilà, je vous signale que je vous envoie ce pamphlet que je ne publie pas parce que je n'aboie pas avec les chiens, du moins en même temps qu'eux. Je n'aime aboyer que quand je suis le plus faible ; je veux que vous sachiez ce qui m'est arrivé, et voilà..." Je fais comme ça pour leur faire une petite humiliation intime... », conclut-il perfidement.

Habitués aux volte-face de l'écrivain, ses « traitants » prennent néanmoins soin de préciser, quelques écoutes plus loin, dans deux notes exceptionnelles en bas de page : « Ne pas perdre

---

1. Fayard, 1994.

de vue que Kid a l'intention de faire un texte sur ce sujet avant les élections », et : « À noter que Kid est obnubilé en ce moment par l'envie de raconter l'histoire des pressions sur *L'Idiot*. » Une conversation de l'écrivain avec Jean-Claude Fasquelle, PDG des Éditions Grasset, enregistrée le 23 novembre, abonde d'ailleurs dans ce sens : « Je projette de sortir en janvier un récit dans lequel il y aura les meilleurs bouts de mon Mitterrand : *Une crucifixion en rose*. C'est le récit de mon naufrage, c'est très noble, il y a le récit de l'écroulement de *L'Idiot* et des pressions sur ce journal ; il y a le récit de l'histoire de mon pamphlet, les relations avec les éditeurs, le récit des négociations sournoises avec l'Élysée, le silence des intellectuels. Il y a, si tu veux, une espèce de descente de Mitterrand, qui est passé de Montaigne à Berlusconi. » Conclusion laconique et rassurée des « grandes oreilles » : « Pas question pour Fasquelle d'éditer cet ouvrage. »

Le 25 novembre à 9 heures 30, rebondissement insolite dans la guerre entre Hallier et l'Élysée, que vont suivre avec ahurissement ses nouveaux « traitants », l'adjudant-chef Guézou et le lieutenant-colonel Jean-Louis Esquivié. Peu de temps auparavant, l'écrivain, acteur d'un jour, a tourné un spot publicitaire pour la RATP, sur lequel il comptait pour se renflouer et, surtout, refaire son apparition sur les écrans de télévision dont il se sentait injustement écarté. Mais, au matin du 25 novembre, « Bernard », un membre de l'équipe publicitaire, l'appelle pour lui apprendre une « nouvelle importante » :

> *Bernard :* Tu n'apparaîtras pas dans le film de la pub, c'est un ordre qui vient de très haut, je ne sais pas si tu vois ce que je veux dire...
>
> *Kid :* Oh ! la ! la !, c'est pas vrai, oh, c'est dingue, oh ! la ! la ! L'ordre vient de Rousselet, directeur de cabinet de François Mitterrand ?
>
> *B. :* Oh, je pense que ça vient de plus haut, enfin je ne sais pas, ils se sont renseignés, ils ne savent pas à quel niveau ça se situe...
>
> *K. :* C'est de la persécution contre moi ! Il faut qu'un certain nombre de gens témoignent, qu'on alerte les journaux !

Précision inquiète des deux « traitants » au bas de l'écoute : « L'interlocuteur de Kid semble scandalisé et prêt à alerter la presse pour le défendre. » Les gendarmes s'emploient alors à surveiller les réseaux médiatiques que l'écrivain décide instantanément de mettre en branle. À 10 heures 25, il appelle son ami l'écrivain-journaliste Jean Cau :

> *Kid :* Alors là, ras-le-bol ! La crucifixion en rose se poursuit contre un seul homme...
>
> *Jean Cau :* On introduit Berlusconi *[sur la Cinq]* et on te guillotine !
>
> *K. :* Tout le monde avait trouvé le clip formidable, il paraît que j'étais meilleur que Gains-

bourg. Il faut que je fasse un procès ? Oui, je vais faire un procès !

J. C. : Pourquoi tu n'envoies pas une lettre à Mitterrand, que tu envoies aux journaux ?

K. : C'est aux autres de prendre ma défense, pas à moi.

À 10 heures 32, il appelle l'agence France-Presse pour faire part de son indignation et dicte un communiqué dont les hommes de l'Élysée ont la primeur : « Par acte de censure néronienne, la haine tueuse de Mitterrand contre moi se poursuit. Le 18 octobre, j'ai tourné un clip qui devait passer 80 fois. C'est comme si je passais à *Apostrophes*. Par ordre de l'Élysée, on m'a supprimé le clip. » Et il ajoute à l'intention du journaliste : « Je vous assure que c'est dur. Les pressions de la bureaucratie sournoise, comme dit Soljénitsyne, sont aussi dures à l'Est qu'à l'Ouest. »

Deux jours plus tard, c'est au tour de Frank Eskenazi, de *Libération*, d'être contacté par l'écrivain dont l'indignation n'est pas retombée. Dans une écoute particulièrement riche (à la rubrique « personnes citées », on trouve pêle-mêle Mitterrand, Gainsbourg, Pivot, Jean-Paul Goude, Séguéla, Colliard, Bernard Brochant, Victor Hugo, et aux « organisations citées » : RATP, Élysée, Greenpeace, Belgique, AFP, Havas, *TF1*, *A2*, *FR3*, Denoël !), les gendarmes notent : « Kid se plaint de n'avoir pas obtenu de réponse à une lettre expédiée au Président. Il envisage donc de saisir la Haute Autorité de l'audiovisuel. Il considère que la trêve entre l'Élysée et lui est rompue unilatéralement. Il ripostera en publiant à la fin de l'année, en commémoration de l'année Victor Hugo, son pamphlet sur le Président à partir de la Belgique, terre de liberté. Cette version sera actualisée avec cent pages inédites sur Greenpeace – elle s'intitulera *L'Écrivain et le Président*. »

L'assassin pamphlet de Jean-Edern Hallier ne sera finalement pas édité, ni en Belgique ni en France, avant les élections de 1986. Il faudra attendre 1992 pour qu'une version très largement édulcorée par l'auteur lui-même paraisse aux Éditions des Belles-Lettres.

Au détour d'autres conversations, les hommes de l'Élysée apprennent de manière détaillée comment la presse va réagir à l'épisode du clip de la RATP, ce qui pourra leur permettre, le cas échéant, de mieux riposter. Le 29 au matin, Hallier « annonce un article en sa faveur dans le *Figaro-Magazine* du lendemain, une grande interview dans *Match*, un enregistrement à *Europe 1* et une chronique de télé ». Puis un autre appel lui met du baume au cœur : l'un des rédacteurs du dictionnaire Larousse le contacte pour lui lire sa notice ! « Kid trouve qu'on parle bien de lui : "Plus je suis bâillonné, plus je rentre vivant dans les anthologies. Je vis de mon vivant ma vie posthume." » Chute sarcastique des

« écouteurs » : « Kid est tellement content qu'il déjeune ce jour avec l'auteur de sa notice à La Coupole. »

Les hommes du Président captent même des conversations dans lesquelles l'écrivain mande deux intermédiaires pour renouer les liens avec la Présidence de la République, le célèbre publicitaire Jacques Séguéla, père du slogan « La Force tranquille », et Jacques Sauvageot, l'un des dirigeants du *Monde*. Objectif : débloquer l'affaire du clip RATP. Las ! Jean-Edern Hallier n'apparaîtra pas sur les écrans pour y vanter les mérites du métro parisien.

Les « écouteurs » continuent impavidement à suivre les aventures de l'infatigable « Kid ». Bientôt, alors qu'ils commençaient à se féliciter de la mort provisoire de *L'Idiot international*, nouvelle alerte : voici que l'écrivain monte un nouveau journal, *L'Éventail*. Son éditeur, Dominique Van Lier, est immédiatement « branché ». Le lancement du premier numéro promet d'être mondain. L'écrivain appelle une floppée de gens connus (qui, du coup, font ou refont leur entrée dans les fichiers de l'Élysée) : Maurice Rheims, Michel Déon, Bernard Franck, Philippe Sollers... Les gendarmes se perdent quelque peu dans les méandres généalogiques de l'aristocratie francophone en consignant intégralement l'« ours » (la liste des collaborateurs) du mensuel avant sa sortie. L'écoute du 5 décembre 1985 est assortie de cette liste exhaustive. Outre le directeur culturel qui n'est autre que Jean-Edern Hallier soi-même, défilent « Marie-Jo de Loisne (adjointe de direction), François de La Béraudière (chargé de publicité), Fernand Saint-Simon (conseiller historique), Isabelle d'Andiau Hambourg (relations publiques), Patricia Matthieu de Wynendaele (photo) ». L'aristocratie entre en force dans les fichiers élyséens. « Presque aussi chic que le Bottin mondain ! » conclut Hallier. C'est que *L'Éventail* n'est pas tout à fait un brûlot politique : c'est un luxueux magazine consacré aux grandes familles et aux têtes couronnées, rédigé par des plumes célèbres... La cellule peut respirer.

La volonté d'identifier précisément tous les interlocuteurs de l'écrivain conduit parfois la cellule à « agrémenter » ses écoutes de véritables fiches de police, en particulier à propos de journalistes dont ils révèlent au passage tous les pseudonymes. Le 19 décembre 1985, un collaborateur de *Paris Match*, qui s'est rendu coupable d'avoir conversé téléphoniquement avec Hallier, a droit à une fiche administrative complète : « Jean-André GORZKOWSKI, dit Jean Tagnière (...), a collaboré à *Radio-France*, au *Nouveau Détective* et, depuis 1983, est rédacteur à *Paris Match*, etc. »

Jean-Edern Hallier se savait-il écouté ? Au journaliste du *Figaro* Jean Bothorel, il lâche en janvier 1986 :

On a recommencé à m'emmerder depuis une semaine par des appels téléphoniques qui ne peuvent être que *[la conséquence]* d'écoutes directes... Je m'en fiche de parler, je parle de chez moi... Des gens sont informés dans la demi-heure et menacent des gens dont ils s'imaginent qu'ils sont susceptibles de financer mon journal... Quels cons, cette bande de mecs ! Comment peuvent-ils avoir les écoutes directes, comme ça ?

J.B. : Il suffit de passer une bretelle au central.

Kid : Est-ce que ce sont des voyous ou de l'officiel ? Est-ce que des voyous peuvent mettre une bretelle au central ?

J.B. : On peut tout imaginer, mais ça me paraît difficile...

K. : Ça me paraît difficile à moi aussi. On appelle ça « mettre une bretelle » ? En plus, ils sont complètement cons, parce que l'on est à soixante jours d'un changement de régime !

Quelles ont pu être les conséquences de ces écoutes pour l'écrivain ? Jean-Edern Hallier assure que de nombreux éditeurs ont été contactés par des émissaires de l'Élysée pour les prier de refuser d'éditer son pamphlet. Parfois, cette surveillance de tous les instants a pu déboucher sur des « travaux pratiques ». Ainsi, un mystérieux commando a entièrement détruit, à l'imprimerie, le tirage d'un numéro de *L'Idiot international* ; mesure d'intimidation : la cage d'escalier de son immeuble a été « bombée »

d'inscriptions menaçantes. Plus troublant encore, ce compte rendu d'écoutes du 27 janvier
1986 : « Kid vient d'être cambriolé (*sic*) dans la
nuit de vendredi à samedi ». Ce « *sic* » ironique
indiquerait-il que les gendarmes avaient une
petite idée sur l'identité des auteurs du cambrio-
lage ?

III

128 journalistes « branchés »

« En 1954, dans le gouvernement de Pierre Mendès France, j'ai fait une note au préfet de police pour interdire toute écoute politique. » Cette vertueuse confidence émane de l'ancien ministre de l'Intérieur François Mitterrand et fut proférée sur *Europe 1* le 19 décembre 1973. Paul Quilès, ministre de la Défense du même François Mitterrand, devenu entre-temps Président, assura quant à lui au juge Valat, le 24 mai 1994 : « Il n'était pas question d'autoriser une écoute concernant un homme politique, un journaliste, un responsable syndical, un magistrat ou un avocat. » Belle unanimité dans la proclamation des grands principes !

Ce qui n'a nullement empêché le Président, après moins de deux ans passés à l'Élysée, de laisser ses gendarmes coiffer en toute impunité les casques d'écoute du GIC où ils jouissaient d'une liberté d'action totale. Que Paul Quilès en ait ou non été informé durant son passage au ministère de la Défense, les hommes de l'Élysée n'en ont pas moins allègrement écouté, entre 1983 et 1986, selon les éléments en la possession du juge Valat, 128 journalistes, 29 organes de presse, au moins 30 avocats et 5 magistrats. Beau tableau de chasse pour d'aussi éminents défenseurs de la liberté et de la démocratie !

Certes, ces catégories professionnelles ne sont pas au-dessus des lois. Mais s'il peut paraître légitime d'« écouter » un journaliste ou un magistrat qui se livrerait, par exemple, à des actes de terrorisme, ces professions n'en sont pas moins traditionnellement protégées en matière d'écoutes. S'il en allait autrement, le risque de violer les principes fondamentaux de la République (liberté de la presse, droit de la défense, indépendance de la Justice...) serait trop grand. Or, à lire les milliers de pages de comptes rendus consignés par l'Élysée, où apparaissent journalistes, avocats et magistrats, on discerne mal la trace de complots contre la République ou de menaces pour la Défense nationale...

En revanche, la cellule y relève des conversations intéressantes concernant François Mitterrand, l'affaire des « Irlandais de Vincennes » ou l'épisode du *Rainbow-Warrior*. Surtout, elle en apprend beaucoup sur les informateurs des journalistes, leurs projets d'enquête, leurs réseaux de relations, voire leurs problèmes personnels ou financiers. Elle suit jour après jour la vie intérieure des principaux quotidiens, hebdomadaires, stations de radio et chaînes de télévision.

En ce qui concerne les avocats, les gendarmes de l'Élysée sont au courant de leurs stratégies de défense, des confidences de leurs clients, des précieux conseils qu'ils leur prodiguent. Enfin, en écoutant les magistrats, la cellule peut être informée suffisamment tôt de l'évolution judiciaire des affaires « sensibles ». Ces précieuses informations lui permettront d'avoir toujours un coup d'avance sur les « adversaires » et, le cas échéant, d'anticiper efficacement leurs initiatives.

Pour piéger les journalistes, les gendarmes de l'Élysée utilisent une méthode éprouvée. Ils en choisissent quelques-uns dont ils se méfient particulièrement et qui suivent des dossiers « délicats » aux yeux de la cellule. Ces « cibles », une dizaine en tout, sont directement branchées, pour des durées variables, soit à leur domicile, soit au siège de leur journal. En tête, les deux « bêtes noires » de la cellule de l'Élysée qui sévissent respectivement au *Monde* et au *Canard enchaîné* : Edwy Plenel, branché sur la ligne de sa compagne Nicole Benoît-Lapierre sous le code « Benet », et Georges Marion, branché sous son véritable nom, Simon Baruch, sous le code « Bout ». Ces deux grands journalistes d'investigation portent de surcroît la marque indélébile et rédhibitoire d'un passé trotskyste. Bref, deux redoutables « gauchistes », toujours prêts à « faire le jeu de l'adversaire »... Dans le cas de Georges Marion, les gendarmes n'hésitent pas, par exemple, à la faveur d'une conversation avec son épouse, à mentionner dans le détail la procédure d'accès à ses fichiers informatiques, en vingt points consciencieusement énumérés par le journaliste pour retrouver un renseignement dans son ordinateur : « 1. Tu mets le disque SAL-KIQUE ; 2. Le laisser tourner ; 3. Attendre qu'il soit prêt ; 4. Dans le menu POMME, ouvrir, etc. » À quelle fin ?

Mais, dans la fantasmagorie politique qui les fait osciller entre le syndrome Allende et le spectre du bolchevique au couteau entre les dents, les membres de la cellule s'en prennent aussi aux journalistes qui ont des accointances avec une extrême droite prétendument attachée à déstabiliser un Président de gauche. C'est ainsi que Jean Roberto (code : « Édith »), chef des informations générales à *Minute*, Nicolas Tandler (code : « Sosie »), ancien militant d'extrême droite et journaliste à *La Vie française*, et Gilbert Le Cavelier, ancien du SAC reconverti dans le journalisme et la protection rapprochée, sont également « branchés ».

Pour les deux premiers, la cellule n'a pas hésité à placer des bretelles au siège même de leurs organes de presse. Dans le cas de Nicolas Tandler, elle le suit même après le déménagement de son journal. Attention, annonce un beau jour un compte rendu d'écoute : « *La Vie française* déménage le 25.10.85 et s'installe au 2, rue Béranger, Paris IIIe. » Au matin du jour dit, l'écoute

« Sosie » devient « Sosie 2 » à la nouvelle adresse : pas un mot de Tandler n'aura été perdu par suite de ce déménagement... Autre journaliste ayant flirté dans sa jeunesse avec l'extrême droite, aujourd'hui spécialiste universitaire du terrorisme international et collaborateur de *L'Express*, Xavier Rauffer a été branché sous son vrai nom, Christian de Bongain (code : « Bar »). Alexis Libaert, journaliste politique à *L'Événement du Jeudi*, suscite aussi l'intérêt de la cellule (code : « Loup »).

Sans crainte d'éventuelles retombées diplomatiques, une journaliste australienne habitant Paris a droit elle aussi aux faveurs de la cellule élyséenne : Helen Fraser (code : « Forme »), connue pour son soutien aux indépendantistes canaques de Nouvelle-Calédonie, est branchée le 18 septembre 1985 alors que l'affaire Greenpeace bat son plein. La cellule place également une « bretelle » au siège de l'agence de photos Gamma (code : « Grain ») : ils y cherchent la trace d'un salarié, Andrew Orr, sympathisant de la cause irlandaise, au moment de la brûlante affaire des « Irlandais de Vincennes ». Surréaliste, enfin, peut paraître la surveillance téléphonique exercée sur les Nouvelles Messageries de la Presse Parisienne (NMPP), l'organisme chargé de diffuser les milliers de titres de la presse française sur l'ensemble du territoire. Mais il s'agit d'un bon poste d'observation pour jauger la santé des journaux et, surtout, connaître l'état exact des ventes et des finances de *L'Idiot international*...

Au-delà de ces dix cibles, c'est tout le gratin des médias français qui se retrouve, un jour ou l'autre, piégé sur les bandes magnétiques et les fichiers des hommes de l'Élysée. Des pages et des pages de leurs conversations sont retranscrites et conservées dans les archives de la cellule. Que d'analyses, de tuyaux, de rumeurs, de révélations parfois, patiemment amassés par les gendarmes ! Un véritable annuaire professionnel dont l'ampleur donne bien la mesure des craintes inspirées par le « quatrième pouvoir » !

Dans cette liste prestigieuse, on ne compte pas moins de dix-huit patrons de presse ou responsables de rédaction. Un plateau exceptionnel que seuls les hommes de l'Élysée étaient capables de réunir... entre leurs écouteurs ! On y trouve, ô ingratitude, quelques-uns des confidents attentifs de « Tonton » (Jean Daniel, Serge July et même le petit dernier de *Globe*, Georges-Marc Benamou), les représentants d'un large spectre politique allant de Roland Leroy, patron de *L'Humanité*, à Roland Gaucher, responsable de *National Hebdo*, en passant par Roger Thérond, de *Paris Match*, Claude Angeli, du *Canard enchaîné*, Émile Malet, fondateur de *Passages*, Louis Pauwels et Patrice de Plunckett, du *Figaro magazine*, mais aussi quelques influents directeurs de rédactions (Claude Imbert, Jean-François Kahn, Franz-Olivier Giesbert, André

Fontaine, Alain Denvers), voire des patrons de presse tout-puissants (Gérald de Roquemaurel, Daniel Filipacchi ou Robert Hersant).

S'y illustrent aussi des stars de la télé et de la radio. En tête, les présentateurs de journaux télévisés : Patrick Poivre d'Arvor, Bernard Rapp, Hervé Claude, Claude Sérillon, Marie-Laure Augry, Jean Offredo. Mais aussi des vedettes du petit écran ou du micro : Bernard Pivot, Guillaume Durand, Michel Polac (et sa collaboratrice Catherine Sinet), Jean Lanzi (ce qui est d'autant plus piquant qu'il anime à l'époque une émission hebdomadaire avec le Premier ministre Laurent Fabius, « Parlons France »), François-Henri de Virieu ainsi que Catherine Nay, Charles Villeneuve, Jean-Pierre Defrain...

Pour la presse écrite, c'est indéniablement *Le Monde* qui remporte la palme du journal sinon le plus lu, du moins le plus écouté... Quatorze journalistes du quotidien du soir, qui avait pourtant appelé à voter François Mitterrand en 1981, régalent de leurs conversations les gendarmes (Jean-Marie Colombani, Bruno Frappat, Thomas Ferenczi, Bertrand Le Gendre, Alain Rollat, Claude Sarraute, Laurent Greilsamer, Yves Agnès, Jacques Amalric, Philippe Boggio, Jean-Yves Lhommeau, Agathe Logeart, Jean-Maurice Mercier, Josyane Savigneau). Mais la cellule n'est pas sectaire : *Libération,* avec huit journalistes (Frank Eskenazi, Véronique Brocard, Pierre Mangetout, Frédéric Fillioux, Jean-

Michel Helvig, Annette Levy-Willard, Béatrice Vallaeys, Gilles Millet), et *Le Figaro*, avec cinq (Jean Bothorel, Jean-Marie Rouart, Georges Suffert, Jeanine Lazart, et même Jacques Faizant !) se tiennent au coude à coude. *Le Matin, France-Soir* et *Le Quotidien* font eux aussi partie des abonnés du « Château ». L'agence France-Presse est représentée par Pierre Feuilly, directeur des informations générales. Les hebdomadaires ne sont pas en reste : *Le Point* (Jacques Bouzerand, Philippe Chatenay, Alain Louyot, Jean-Marie Pontaut, Jean Schmitt, Thierry Wolton), *L'Événement du Jeudi* (Lionel Duroy, Jérôme Garcin, Pascal Krop, Frédéric Ploquin), *Le Nouvel Observateur* (Guy Sitbon, Alain Schiffres, Pierre Blanchet), *L'Express* (Christian Jelen), *Paris Match* (Paul-Marie Bourget, Jean Durieux, Patrick Mahé), *VSD* (Armelle Oger), *Globe* (Kathleen Evin)... Parfois, des voix bien connues font tressaillir les gendarmes : Françoise Giroud, Jean Cau, Paul Wermus, Michel Cardoze, Christine Clerc, Anne Gaillard...

Au fil des conversations, tous les médias qui apparaissent ont droit eux aussi à leur petite fiche dans le fichier *TPH* : *TF1, Antenne 2, Le Canard enchaîné,* la télévision allemande *ZDF,* l'agence *Reuter* et un fourre-tout de stations de radio (*Radio-France, Radio Solidarité, Radio Mouvance, La Voix du Lézard, Radio Tour Eiffel, Radio Pays Basque,* et jusqu'aux dangereux amateurs d'accordéon de *Radio Fréquence Montmartre*...).

Au hit-parade des fiches en la possession du juge Valat, c'est d'ailleurs un journaliste, Edwy Plenel, qui, avec 695 conversations, bat de quelques écoutes le très bavard Jean-Edern Hallier (654 conversations). Pourquoi cet acharnement contre l'enquêteur-vedette du *Monde* ? C'est que, le premier, il a osé manifester des doutes sur un haut fait d'armes fièrement revendiqué par l'Élysée.

L'affaire des « Irlandais de Vincennes »

La cellule est à peine constituée depuis une semaine que, le 28 août 1982 à 22 heures 42, l'AFP annonce par un communiqué : « *Urgent* – deux arrestations jugées importantes ont été opérées aujourd'hui en France dans les milieux du terrorisme international, apprend-on ce soir à la Présidence de la République. Ont été également saisis des documents et des explosifs. Afin de poursuivre l'enquête dans les meilleures conditions, les informations complémentaires ne seront diffusées qu'ultérieurement. » Vingt jours après l'attentat de la rue des Rosiers qui a fait six morts, cet énigmatique communiqué alimente toutes les rumeurs : en a-t-on arrêté les auteurs ? ou les meurtriers de diplomates récemment assassinés à Paris ? ou, pourquoi pas, Abou Nidal, voire l'insaisissable Carlos lui-même ?

La réalité n'est pas à la hauteur du suspense soigneusement entretenu par l'Élysée : il ne s'agit, si l'on peut dire, que de trois « terroristes » irlandais qui s'apprêtaient, assure-t-on, à mettre la France à feu et à sang. Mais c'était sans compter sur la vigilance de la toute nouvelle cellule de l'Élysée et de ses deux chefs. En l'absence de Christian Prouteau, alors en vacances en Vendée, c'est l'intrépide Paul Barril qui a mené l'opération. Le 28 août 1982 dans l'après-midi, grâce à un « tuyau » fourni par un informateur, il a débarqué en force, avec ses hommes, dans un petit appartement du 82, rue Diderot, à Vincennes, et arrêté Michaël Plunkett (membre clandestin de l'INLA, une scission marxiste de l'IRA, inculpé en 1979 pour détention d'explosifs à Dublin), Stephen King et Mary Reid. À défaut du stock d'explosifs promis par l'informateur, Paul Barril et ses hommes découvrent trois pistolets aux numéros limés, un pain de plastic amorcé, 3,5 mètres de mèche lente et une brassée de faux papiers.

La déception est d'autant plus grande que les trois « terroristes », qui ne sont même pas réclamés par la police britannique, ne reconnaissent que la détention d'une seule arme, destinée à se protéger contre une éventuelle vengeance des policiers de Sa Majesté. Coup dur supplémentaire : devant le scepticisme de la PJ et de la presse, l'enquête, qui était menée sous la responsabilité de deux gendarmes proches de

Prouteau, le commandant Beau et le major Windels, est confiée aux policiers de la Brigade criminelle. Plus grave encore, le juge Verleene, saisi des faits, ne va pas tarder à soupçonner les hommes de la cellule de s'être livrés à quelques graves irrégularités de procédure. Quant à l'avocat des Irlandais, Me Antoine Comte, il crie partout qu'il s'agit d'un véritable coup monté.

Dès le 31 août, trois jours après l'arrestation, Edwy Plenel monte au créneau : « Dérapages », intitule-t-il son article ce jour-là, soulignant qu'il n'y a aucune preuve de la participation des trois Irlandais à un quelconque attentat ; le 8 septembre, il poursuit ses investigations avec « Enquête sur une étrange enquête » ; le 1er février 1983, il révèle les graves irrégularités qu'aurait découvertes le juge Verleene : procédure bâclée, perquisition illégale, photos des pièces à conviction introuvables... Le journaliste s'interroge même : « N'a-t-on pas voulu forcer le destin, en rajouter, dans la mesure où la prise n'était pas à la hauteur des ambitions proclamées ? »

Le soupçon gagne de plus en plus les esprits. Les gendarmes n'auraient-ils pas déposé eux-mêmes les armes et l'explosif pour « charger la barque » ? On ne tardera pas à apprendre en effet que, grisés par leurs nouveaux pouvoirs, saisis par la fièvre antiterroriste, inexpérimentés en matière de procédure, les hommes du GIGN se sont livrés à de lourdes entorses au droit. Plus grave, ne trouvant pas ce qu'on leur avait annoncé, on n'exclut plus qu'ils aient introduit eux-mêmes dans l'appartement l'explosif et une partie des armes saisis. Des fautes qu'ils ne reconnaîtront jamais.

De son côté, Mᵉ Comte fait feu de tout bois : comme on refuse de libérer Plunkett, il dénonce une « justice sous influence », en appelle à la Ligue des droits de l'homme et forme un comité pour la libération des Irlandais.

Le feu menace de gagner le « Château ». Les super-gendarmes, convaincus d'avoir mis hors d'état de nuire de dangereux terroristes internationaux, ne comprennent pas la montée du scepticisme ni les attaques qui les visent. Selon des informations parvenues de Londres, Plunkett n'a-t-il pas été mêlé à un attentat qui a coûté la vie à un député britannique, Airey Nave, dans l'explosion de sa voiture à la sortie du parking de la Chambre des communes ? N'a-t-il pas participé à des attentats contre les forces britanniques stationnées en Allemagne ? La DST ne s'intéressait-elle pas, à l'époque, aux liens existant sur le sol français entre l'IRA, l'ETA et le groupe Carlos – liens qui seront d'ailleurs ultérieurement confirmés après l'arrestation de ce dernier ? Surtout, Paul Barril et ses hommes ne sont-ils pas convaincus, toujours grâce à leur mystérieux informateur (dont il sera question plus tard), que les Irlandais ont participé à l'attentat antisémite de la rue des Rosiers ?

Dès lors, comment les gendarmes de l'Élysée expliquent-ils les attaques dont ils sont la cible de la part de la presse, des avocats et même des autres services d'enquête ? Pour ce qui est de ces derniers, ils veulent bien mettre leur attitude au compte de la traditionnelle « guerre des polices ». Mais, pour ce qui concerne Me Antoine Comte et Edwy Plenel, ils croient, portés par une vision politique manichéenne teintée de paranoïa, y voir la trace d'une machination politique. L'efficace avocat des « Irlandais de Vincennes » n'a en effet jamais fait mystère de ses engagements gauchistes et antimilitaristes. Dans son livre *La Défaite : la gauche, la raison d'État et le citoyen*[1], il rappelle d'ailleurs ses activités au sein du Mouvement d'action judiciaire (MAJ), syndicat autogestionnaire post-soixante-huitard, et sa participation à l'« appel des Cent » lancé par des comités de soldats « pour ébaucher un semblant d'organisation des bidasses face à la hiérarchie ».

De son côté, Edwy Plenel n'a jamais caché ses engagements de jeunesse à la Ligue communiste révolutionnaire du trotskyste Alain Krivine. Il fut d'ailleurs journaliste au quotidien du mouvement, *Rouge*. Lui aussi – détail accablant aux yeux de la cellule – s'est rebellé contre l'autorité militaire. Dans *La Part d'ombre*[2], ouvrage préci-

---

1. Austral, 1995.
2. Stock,1992.

sément consacré aux dérives politico-policières du mitterrandisme, il rappelle « ses deux mois passés au secret dans une cellule de la base aérienne de Colmar » pour avoir signé, comme d'autres appelés, une pétition réclamant « la gratuité des transports et quarante-huit heures de repos hebdomadaire ». Circonstance aggravante : la Ligue communiste révolutionnaire va soutenir les « Irlandais de Vincennes » et ira même jusqu'à héberger l'un d'eux à sa sortie de prison. Autant d'éléments biographiques soigneusement répertoriés sur une fiche de la cellule élyséenne au nom d'Edwy Plenel. Apparemment, aucun détail de la carrière du journaliste n'a échappé à ses biographes attentifs : « Né le 31 août 1952 à Nantes (Loire-Atlantique), Edwy Plenel, diplômé de l'Institut d'études politiques de Paris, fait ses débuts de journaliste au mois de mars 1976 au quotidien *Rouge* où il est en charge de la rubrique Éducation-Jeunesse. En janvier 1980, il est nommé responsable du service Éducation au *Matin de Paris*. Au mois de mai de la même année, il entre au *Monde*, etc. »

Pour les super-gendarmes, aucun doute : l'avocat et le journaliste, ces « gauchistes », participent à un complot antimilitariste fomenté contre eux – donc contre le Président. Paradoxe : les hommes de la cellule, plutôt marqués à droite, vont alors s'en prendre à d'authentiques hommes de gauche pour défendre un Président socialiste ! À cette fin, ils n'hésitent pas à recourir à l'arsenal du parfait « barbouzard » et à l'arme illégale et scandaleuse de l'écoute. Bafouant l'usage démocratique, dès le 1er février 1983, ils branchent l'avocat Antoine Comte au domicile de sa compagne, Blandine Vecten (code : « Tentation »). La date ne doit rien au hasard : la veille est paru l'article explosif d'Edwy Plenel sur les Irlandais. Cette écoute « sensible » sera commentée dans une note rédigée par un membre du cabinet de François Mitterrand (voir chapitre huit). Le journaliste lui-même ne tarde pas à être branché, également au nom de sa compagne, sous le code « Benet ».

Un avocat, un journaliste : le tabou est brisé. La cellule n'aura désormais plus aucun scrupule à multiplier ses « bretelles » indiscrètes. Dans la foulée, on l'a vu, les hommes de Prouteau placent également sur écoutes Georges Marion (code : « Bout »), journaliste au *Canard enchaîné*, Andrew Orr, journaliste de télévision à l'agence Gamma et sympathisant de la cause irlandaise, ainsi que Gilles Le Ny, un ami des Irlandais chez qui ceux-ci fêteront leur libération de prison.

Edwy Plenel est une cible de choix pour la cellule. En dépit de son extrême prudence au téléphone, elle connaîtra à l'avance, grâce à lui ou à ses correspondants, le sommaire de numéros à venir du journal, les révélations en cours sur des dossiers « chauds » (« Irlandais de Vincennes », Greenpeace), des projets d'articles à long terme, et en apprendra beaucoup sur la vie interne du *Monde* – voire sur les petits détails de la vie quotidienne du journaliste. Fidèles à leurs habitudes, les « traitants » de Plenel consignent scrupuleusement des renseignements de toute nature, allant jusqu'aux notations les plus domestiques. Ainsi, par exemple, sur les 69 écoutes du seul mois de décembre 1985, on trouve : le 5, « Benet demande un médecin pour sa femme (otite) » ; le 6, les gendarmes, rigoureux, précisent : « Il s'agit d'une double otite » ; le 7, « Benet donne rendez-vous à un ami pour jouer aux échecs » ; le 10 à 16 heures 45, « Benet commande un véhicule (taxi) pour aller vers la Nation. C'est une Volvo grise. Appel renouvelé à 23 heures 30 : c'est une 504 bleue » ; le 13 : « Les Benet partiront par le TGV du samedi 21 au départ de Paris à 18 heures 06, arrivée à L. à 21 heures 55. Ils rentreront le 25 au soir, car Benet doit être au journal le 26 » ; le 13 encore : « Un ami se rend chez lui demain soir (14 décembre). Le code d'entrée est 7A59D ».

Mais c'est évidemment la teneur des articles que prépare Edwy Plenel qui intéresse avant tout les « grandes oreilles » de l'Élysée. Parfois, les « traitants » de la cellule ont la primeur des « papiers » du journaliste alors qu'il les dicte, depuis son domicile, à une sténodactylo du *Monde*. Une exclusivité qui leur confère souvent une avance d'un jour ou de quelques heures sur la parution du quotidien. Cet avantage peut leur permettre, dans les cas extrêmes, d'alerter leur hiérarchie et d'organiser une riposte. Ainsi, à propos de l'affaire des Irlandais, alors que le commandant Beau, mêlé à leur arrestation, a pris ses distances avec la cellule et menace de révéler le pot aux roses, Plenel, le premier, recueille ses confidences explosives qui mettent à mal la version officielle. Le 24 février 1986 à 8 heures 22, il dicte à une dactylo son article à paraître dans l'édition de l'après-midi. Les « dactylos » du GIC prennent en simultané et précisent le titre de l'article : « La revanche du commandant Beau », et même son surtitre : « Un nouvel épisode des Irlandais de Vincennes ». Poussée de fièvre à la cellule ! D'autant plus que, le même jour, à 13 heures, Plenel annonce à son chef de service : « Jean-Michel Beau passera à la télé *(Antenne 2)* demain soir. »

Ainsi, toujours à propos de l'affaire des « Irlandais de Vincennes », les « écouteurs » de l'Élysée apprennent le 26 février 1986, au détour d'une conversation, qu'Edwy Plenel « publiera un jour le rapport du général Boyé (cela signifie qu'il l'a en sa possession) ». Catastrophe ! Ce rapport de commandement d'un général de gendarmerie, qui date de juin 1983, faisait le point, pour le compte de Charles Hernu, sur l'affaire des Irlandais. Il met directement en cause Christian Prouteau, Paul Barril et Jean-Michel Beau, et propose même des sanctions individuelles graves ainsi que – blasphème ! – la « mise au pas du GIGN ».

Boyé concluait ironiquement : « Il me paraît anormal que la direction générale de la Gendarmerie ignore la plupart du temps ce que fait le GIGN et où se trouvent les militaires qui le composent. Or, depuis que le chef d'escadron Prouteau a été chargé de mission dans la lutte antiterroriste, la direction générale (...) apprend fréquemment par voie de presse la présence insolite de militaires du GIGN, généralement en tenue civile, en un point quelconque du territoire. » Charles Hernu avait instantanément classé ce rapport irrévérencieux « secret défense » ; il l'avait rangé dans un tiroir où il dormait depuis près de trois ans. Or, voici qu'Edwy Plenel s'apprête à l'exhumer !

Une semaine après la première allusion à ce rapport sulfureux, le 4 mars 1986 à 6 heures 46, les gendarmes, affolés, interceptent cette conversation matinale entre le journaliste et son chef de service, Jean-Maurice Mercier :

> *Mercier :* Ils sont tapés, les papiers ?
> *Benet :* L'essentiel, le gros ; il me reste à taper la présentation.
> *M. :* Le commentaire ? C'est le commentaire qui est petit ?
> *B. :* Absolument, mais le gros est tapé.

Prévision inquiète de la cellule : « Ils doivent s'entretenir de l'article qui sortira dans *Le Monde* du jour sur les Irlandais (rapport Boyé)... »

Les « écouteurs » sont d'autant plus échaudés que ces deux scoops, concernant les Irlandais, ont été précédés, six mois auparavant, par un premier « coup » encore beaucoup plus compromettant...

Une conversation interceptée le 24 octobre 1985, à 21 heures 34, fait état d'un rendez-vous « urgent » à 23 heures, au *Café de la Paix*, près de l'Opéra, entre Edwy Plenel et son confrère Georges Marion (qui va bientôt le rejoindre au *Monde*). L'objet de ce rendez-vous secret tarabuste les gendarmes. Dans les jours qui suivent, ils multiplient visiblement les écoutes – voire les filatures... – pour tenter de savoir quelle nouvelle découverte ont faite les deux journalistes.

Le 26, un certain « Monsieur X », non identifié par la cellule, appelle Plenel : « Soit X passera chez Franck, soit il en parlera à l'amie de Franck, qui travaille à la SFP. » Au nom de « Franck », les gendarmes sursautent. « Franck » est le nom de code de l'informateur ultra-protégé de Paul Barril dans l'affaire des « Irlandais de Vincennes » : c'est lui qui a amené les hommes du GIGN au domicile des « terroristes » avec qui il était lié. Il avait dénoncé ses amis irlandais aux super-gendarmes, horrifié à l'idée qu'ils pouvaient être mêlés à l'attentat antisémite de la rue des Rosiers. Mais « Franck », de son vrai nom Bernard Jégat, est plus que cela : il est la clef de toute l'affaire des Irlandais, celui qui prétend connaître la vérité sur la présence des armes et des explosifs à leur domicile de Vincennes. Ses révélations à la presse constitueraient une catastrophe pour le patron de la cellule, Christian Prouteau, son adjoint Barril et leurs hommes.

Aussi les « grandes oreilles » se tiennent-elles en alerte permanente. Le lendemain 27 octobre à 17 heures 41, elles notent : « Plenel rencontrera quelqu'un à 21 heures 30. Plenel déclare qu'il sera avec son ami qui est à Marseille et qui rentre [Marion]. » *Nota bene* des gendarmes effondrés : « Ils ont rencontré Franck. » Le 28 à 20 heures 33, la menace se précise au détour d'une conversation entre Plenel et son épouse : « Il ressort que l'article sort demain. Il s'agit vraisemblablement des révélations qui concernent Bernard Jégat. » Confirmation apocalyptique, le 29 octobre à l'aube (6 heures 36), lors d'un bref échange entre le journaliste et son chef de service :

> *Chef de service :* Et le papier ?
> *Plenel :* Je l'ai avec moi, je vous l'amène.

Le « papier » tant redouté sort finalement dans l'édition datée du 31, en une du *Monde*, sous le titre-choc : « Affaire des Irlandais de Vincennes : le capitaine Barril aurait lui-même apporté les pièces à conviction. »

Le nom de Bernard Jégat apparaît pour la première fois publiquement.

Pourtant, ce petit homme d'aspect fébrile et torturé connaît depuis le premier jour tous les dessous de cette affaire. Ce gauchiste nostalgique de Mai 68 – il passera même à l'université de Vincennes deux UV (unités de valeur) en « Cinéma et lutte anti-impérialiste » ! – est perpétuellement à la recherche d'une cause. Il s'est enthousiasmé un temps pour le mouvement palestinien, puis à la lecture de *La Résistance irlandaise (1916-1976)*, un livre de Roger Faligot, il s'enflamme et décide d'apporter son soutien aux militants de l'IRA. Fin 1979, il héberge ainsi Patrice Plunkett, le futur chef des « Irlandais de Vincennes ».

Franchissant un pas supplémentaire, ce dernier lui confie à plusieurs reprises des lots d'armes et d'explosifs. Il lui fera même cadeau d'un pistolet automatique Herstal GP 35 sur un lot destiné, dit-il, à Alain Krivine et à son entourage de la LCR pour leur protection personnelle ! Il lui laisse également plusieurs lots de plastic qui doivent servir pour un attentat contre une caserne britannique à Dortmund. Jégat accepte sans broncher.

Arrive le 10 mai 1981, l'accession de la gauche au pouvoir : dès le 21 juin, Jegat prend contact avec Régis Debray, ancien expert en révolutions tiers-mondistes, alors tout nouveau conseiller de François Mitterrand, afin de lui proposer ses services afin de « lutter contre le terrorisme aux

côtés des socialistes ». L'ancien compagnon du
« Che » l'éconduit comme un provocateur...

Dans le même temps, Jégat, qui n'est pas à une
contradiction près, continue à soutenir ses amis
de l'IRA. Et surtout à entreposer par intermit-
tence les armes que ceux-ci lui confient. Coup de
tonnerre, le lundi 9 août 1982 : l'attentat de la
rue des Rosiers le traumatise. Quelques jours
plus tard, il est abasourdi en croyant reconnaître
à la une de *France-Soir* deux de ses amis Irlandais dans les portraits-robots des auteurs pré-
sumés du massacre. Au bout d'un certain temps,
Jégat s'interroge : a-t-il le droit de se taire, alors
qu'il détient peut être la clef de cet attentat qui a
bouleversé la France entière ? Mais doit-il alors
trahir ses amis ? Cherchant une personnalité
influente proche du président Mitterrand pour
se confier, il force finalement la porte de Jean
Daniel, patron du *Nouvel Observateur*. L'un des
journalistes de l'hebdomadaire lui propose alors
de rencontrer Maurice Grimaud, directeur de
cabinet de Gaston Defferre à l'Intérieur. Mais,
obsédé par François Mitterrand, Jégat veut à
tout prix entrer en contact avec son nouvel
homme de confiance en matière de terrorisme, le
commandant Prouteau. Un autre journaliste du
Nouvel Observateur vient justement de réaliser
un reportage sur le GIGN. Il met donc Bernard
Jégat en rapport avec le capitaine Barril.

Dès leur première rencontre, l'apprenti révolutionnaire est fasciné par cet intrépide mili-

taire, homme des missions secrètes et des actions flamboyantes. Jégat lâche son lourd secret et montre à Barril des photos de ses amis Irlandais. « A 95 %, ce sont bien les tueurs de la rue des Rosiers », assure le capitaine à un Jégat effondré qui, selon ses propres dires, remet alors à Barril les explosifs et les armes que les Irlandais lui avaient confiés. Stupéfait, il les reconnaîtra plus tard dans la saisie opérée lors de l'arrestation des Irlandais à Vincennes. Ce qui accrédite évidemment la thèse selon laquelle Barril, dépité de n'avoir pas trouvé l'arsenal espéré chez les Irlandais, les aurait discrètement déposés lui-même lors de leur arrestation pour « charger la barque ». En fin de compte, il n'aurait ainsi fait, si l'on ose dire, que rendre ces armes à leurs propriétaires – mais au mépris de toutes les règles de procédure pénale ! Un épisode que réfutera toujours farouchement Paul Barril.

Mais l'arrestation en fanfare des « Irlandais de Vincennes » ne fait qu'accroître les angoisses de Bernard Jégat. Il a peur d'avoir été manipulé par Barril. Surtout, il craint les représailles meurtrières de l'IRA au cas où il serait identifié comme l'« indic » du capitaine. Le poids de cette affaire d'Etat, dont il connaît les dessous les plus secrets, l'affole. Il tire toutes les sonnettes pour tenter de se protéger. Nouvelle visite à Jean Daniel, nouvel entretien avec Régis Debray (qui, cette fois, rédige une note à François Mitterrand), rencontre de Jean-François Kahn, qui vient de lancer *L'Événement du Jeudi*, et surtout, par l'intermédiaire de Pierre-Yves Gilleron, autre pilier de la cellule élyséenne, longue audition par la DST, le contre-espionnage français, en janvier 1985.

Lassé par ces démarches sans résultat, Jégat décide de se jeter à l'eau et d'aller tout raconter au juge Verleene qui instruit l'affaire des « Irlandais de Vincennes ». C'est chose faite le 30 octobre. L'après-midi même, comme on l'a vu, la teneur de sa déposition explosive fait la une du *Monde*. Les hommes de l'Elysée ne tardent pas à réagir eux aussi : à peine une semaine plus tard, le 6 novembre, Jégat est placé sur écoutes sur la ligne de sa compagne Claude Levy, sous le code « Laon ». Motif officiel : « Trafic d'armes en liaison avec l'extrême droite » ! De novembre 1985, date du branchement, à mars 1986, 452 conversations seront emmagasinées !

Les gendarmes de l'Elysée explorent sans vergogne six mois de la vie de cet informateur déboussolé qui risque, par de nouvelles révélations, d'ébranler la Présidence de la République. Une plongée dans les dédales d'une affaire d'Etat tordue où l'on croise magistrats, agents de services secrets, avocats, journalistes, hommes politiques...

Anthologie de six mois d'écoutes d'un « indic » tourmenté :

• 16 novembre 1985, 17 heures 15 (premier jour). « Bon » début : les écouteurs piègent le journaliste-enquêteur Pierre Péan, dont ils notent scrupuleusement l'adresse dans le Val-d'Oise. « Péan fait un livre sur la Révolution. » Et relèvent cette phrase sibylline : « Je ne peux pas te dire tout maintenant... Rendez-vous est pris à 17 heures mardi. »

• Même jour, deux heures plus tard. Jégat raconte à sa compagne Claude son « entrevue de ce jour avec le juge Verleene, qu'il trouve très sympathique ». « Il envisage d'accorder une interview à *Antenne 2*, dans laquelle il mettra tout à plat », et il ajoute, énervé : « Les autres de la DST, de la direction générale de la Police et Pierre Joxe et tous ces gens-là, assez ! S'ils veulent le scandale, ils vont l'avoir, ces connards ! S'il faut déclarer la guerre, on va déclarer la guerre à qui que ce soit, depuis Badinter aussi bien que Joxe, Colliard [directeur de cabinet de François Mitterrand], Debray, fût-ce [jusqu'au] Président ! »

• 19 novembre 1985 à 8 heures 58. C'est un agent du contre-espionnage qui se fait lui-même piéger ! Jégat exprime à un certain Jean, son « agent-traitant » à la DST, son « profond mécontentement, suite à son entrevue avec le juge Verleene qui va l'inculper à la prochaine audition, le parquet ayant pris des réquisitions en ce sens (...). Il s'estime victime d'un cabinet noir dans l'entourage immédiat du ministre de l'Intérieur » qui aurait orchestré certaines fuites contre lui dans la presse.

• Même jour, une heure plus tard. La presse entre dans la danse. Hervé Brusini, d'*Antenne 2*, appelle pour une interview : « Jégat l'accordera dès qu'il aura trouvé un avocat (il pourrait s'agir de Paul Lombard). »

• 26 novembre à 10 heures 16, conversation surréaliste avec un député aujourd'hui ministre, Jacques Godfrain, apparemment un ami de longue date : « Jégat doit passer au bureau pour récupérer le "presse-papier" *(sic)* qu'il lui avait offert... »

• Même jour, à 17 heures 54 : c'est au tour d'un grand magistrat, Jean-Louis Bruguière, qui instruit l'affaire de la rue des Rosiers, d'être enregistré : « Rendez-vous est pris avec le juge pour le 28 novembre à 14 heures. »

• 27 novembre à 10 heures 28. Avant l'intéressée elle-même, les gendarmes apprennent que, sur les conseils de Pierre Péan, Jégat va contacter Me Christine Courrégé, « un avocat qui travaille dans l'ancien cabinet de Roland Dumas ».

• 29 novembre, à 16 heures 33. Il rappelle le juge Bruguière pour lui signaler qu'« il avait acheté avec Michaël [Plunkett], à la Samaritaine, un pistolet à plombs ». Cette arme aurait-elle fait partie de la moisson du capitaine Barril à Vincennes ?

• 19 décembre à 17 heures 51. Jégat confie à un autre contact de la DST, Alain, qu'« il a l'intention de déposer trois ou quatre plaintes contre le ministère de l'Intérieur ».

• 23 décembre à 12 heures 44. Il appelle le commandant Delpont à la direction générale de la Gendarmerie nationale : « Je me tiens à la disposition de la direction de la Gendarmerie, si vous avez besoin de mon intervention pour clarifier un petit peu cette affaire vraiment nauséabonde. » Réponse prudente de l'officier : « Je ne suis pas responsable de ce service, je ne fais que répondre momentanément à ce poste téléphonique. J'ai pris bonne note de votre appel que je porterai à la connaissance de la Gendarmerie. »

• 27 décembre à 17 heures 13. Ressassant inlassablement les mêmes griefs, il annonce à sa compagne : « Je vais publier une lettre ouverte au président de la République. » À trois mois des élections, les hommes de la cellule doivent plus que jamais redouter ce personnage incontrôlable.

• 30 décembre à 18 heures 47. Un avocat qu'il a appelé pour le remercier de son soutien a droit, au bas de la retranscription de l'écoute, à une identification en bonne et due forme : « M^e ., rue Charbonnel, Paris XIIIe, escalier D, 5e étage. »

• 3 janvier 1986. Jégat parvient à joindre le capitaine Legorgus, qui a pris la tête du GIGN. Celui-ci, prudent, voire avisé, paraît fort ennuyé par cet appel : « Ça m'embête un peu que vous m'appeliez de chez vous... J'aimerais que vous m'appeliez d'une cabine et que je puisse vous

rappeler à cette cabine dans l'heure qui vient... »
Un autre gendarme, contacté au GIGN à Satory
le 6 janvier, semblera éprouver la même appré-
hension : « Il veut bien le rencontrer, mais dans
la mesure où le rendez-vous n'est pas pris au téléphone »...

• 7 janvier à 12 heures 58. Désespérément en
quête d'un avocat après le désistement de Me
Courrégé et de plusieurs de ses confrères, Jégat
joint Me Henri Hadjenberg, président du Renou-
veau juif. « L'avocat rappellera. »

• Le même jour, à 20 heures 45, Jean-François Kahn lui confirme que « *L'Événement du
Jeudi* publiera dans l'édition du 16 janvier une
lettre ouverte au Président de la République
dans laquelle Jégat va expliquer la situation dans
laquelle il se trouve (...) avec, *in fine*, une interpellation dans le genre : "Monsieur le Président,
êtes-vous complice de cette machination ?"
L'édition suivante de l'hebdomadaire publiera
un dossier de fond sur cette affaire ».

• 9 janvier à 12 heures 28. Poursuivant sa
« tournée » des magistrats parisiens, Jégat
contacte le substitut Laurent Davenas, au parquet de Paris, pour se plaindre de nombreux
coups de fil anonymes. Le magistrat répond :
« Juridiquement, ces coups de téléphone sont
des violences, vous pouvez porter plainte ; on
peut vous placer sur table d'écoutes... » De la
concurrence en perspective pour la cellule ?

• 14 janvier, 19 heures 58. Jégat, qui se plaint de plus en plus de ces coups de fil anonymes, annonce à sa compagne qu'il vient de recevoir un nouvel « appel d'intox psychologique ». « Il a une voix triste », notent, "psychologues", les gendarmes. Ce qui ne les empêche pas, deux jours plus tard, de noter, gourmands : « Jégat va chercher du travail, car il a des problèmes financiers. Claude, son épouse, va faire un emprunt de 25 000 francs. » Ils précisent également : « Jégat travaille sous le pseudonyme de Bernard Pilou à la télévision belge. »

• 17 janvier, 19 heures 08. Jégat, qui souhaite toujours faire des révélations à *Antenne 2*, appelle le Moulin d'Andé, un hôtel à l'écart de Paris, « pour savoir s'il peut réserver cinq chambres aux fins de réaliser un entretien de 52 minutes ». La menace se précise pour l'Élysée.

• 24 janvier, 9 heures 40. « Jégat raconte à son avocat qu'il a été fauché par une voiture qui lui a littéralement foncé dessus en haut de l'avenue Montaigne, à la hauteur du Rond-Point des Champs-Élysées. » Les gendarmes étaient déjà au courant. En effet, appelant *Antenne 2*, la veille à 19 heures 42, il a signalé « qu'il est sorti de Bichat, qu'il a une plaie à la tête, un hématome à l'œil et à la pommette, plus sept points de suture ». Sans doute rendu un peu paranoïaque par cette succession d'événements, il appelle dans la foulée le juge Verleene « pour le convaincre que cet accident est un acte volontaire ». Selon lui, « le conducteur du véhicule a été identifié : la DST a demandé communication du dossier ce matin. La cellule de l'Élysée va faire elle-même une enquête sur le conducteur. » « C'est peut-être simplement le hasard, poursuit-il, mais j'ai eu un appel téléphonique, la veille, me dissuadant d'aller faire un truc à *Antenne 2*. Et, en sortant justement d'*Antenne 2*, il y a un fou qui, cinquante mètres plus loin... »

• 29 janvier, 15 heures 56. Toujours persuadé d'être persécuté, Jégat laisse un message au cabinet de Pierre Joxe, scrupuleusement retranscrit par les « écouteurs » : « Je voudrais inviter le ministre à s'acheter une boîte de Temesta, c'est un calmant, parce que je vais lui donner l'occasion de prendre une grosse colère et de lui mettre les nerfs en pelote très prochainement sur un écran de télévision ou sur les chaînes de radio. »

• 6 février, 13 heures. Jégat rappelle Jacques Godfrain, député RPR, afin de solliciter son témoignage pour un procès. Innocemment, les gendarmes, toujours sourcilleux, notent : « Godfrain est né le 04.06.1943 à Toulouse et habite Saint-Affrique. » Le futur ministre de la Coopération de Jacques Chirac est désormais fiché par l'Élysée.

• Le 12 février, Jégat passe enfin à *Antenne 2*. Il est interviewé par le journaliste Hervé Brusini. Quelques jours plus tard, une longue fiche concernant le journaliste est intercalée parmi les écoutes de Jégat. Fait exceptionnel, en haut à gauche de cette fiche de police figure la mention : « *À qui ? Ménage* »... Tout y passe.

L'état civil : « Hervé Joseph Laurent Brusini, né le 15 mai 1953 à Saint-Quentin (Aisne) de Raphaël et Odette Philomène Dupont, de nationalité française. Célibataire, il est domicilié rue Méningue, à Paris XIXᵉ, dans un appartement dont il est locataire. »

Activités professionnelles : « Journaliste, H. Brusini est titulaire de la carte professionnelle 49348 délivrée le 11 juin 1983 et régulièrement renouvelée chaque année. Depuis cette date, il collabore à la rédaction d'*Antenne 2* comme reporter-rédacteur. »

Activité d'écrivain : « En collaboration avec Francis James, il a publié un ouvrage intitulé *Voir la vérité*, paru en août 1982 aux éditions PUF. Cet ouvrage se présente comme un essai sur le journalisme de télévision. »

Divers : « H. Brusini n'a pas attiré l'attention sur les plans politique et judiciaire. »

On trouve même un extravagant *Confidentiel hors-texte* : « H. Brusini est le cousin, par son père, Raphaël Brusini, de Christian Harbulot, l'un des membres actifs de l'ancienne **NAPAP**, soupçonné du meurtre, le 23 mars 1977 à Limeil-Brévannes (Val-de-Marne), de Jean Tramoni, l'ancien vigile de chez Renault. »

Comment la cellule a-t-elle obtenu de tels renseignements ? Toujours est-il qu'on y trouve la preuve que Gilles Ménage, alors directeur-adjoint du cabinet de François Mitterrand, chargé des affaires de police, était bel et bien le destinataire des fiches illégales de la cellule. Quel usage ce haut personnage de l'État faisait-il de ces fiches de basse police concernant un journaliste ? (Voir chapitre dix)

• 14 mars 1986, 12 heures. Jégat, qui ressasse sans relâche son affaire, trouve de moins en moins d'interlocuteurs au téléphone. Il communique néanmoins au « Service télégramme des PTT » un message à Jacques Attali, au « palais de l'Élysée, rue du Faubourg Saint-Honoré » (par ailleurs également adresse de la cellule...), dont les gendarmes ne manquent pas une ligne : « Sacrifié par Barril, Prouteau, Joxe, je remercie tous les Ponce-Pilate courageusement embusqués derrière une lâcheté et un laxisme déshonorants, qui ont tissé depuis août 1984 l'anéantissement de ma vie. Le Président lui-même était-il solidaire de cet abandon-destruction implacable et cynique (...) ? Je ne renierai jamais l'ardente fidélité que je lui ai vouée au péril de ma vie. J'attends sereinement mon "exécution", abandonné de tous. À l'exception de Pyves [Pierre-Yves Gilleron], (cellule du fantomatique Monsieur Prouteau) que j'aime comme un frère. Quel gâchis ! (télégramme n° IBB 030). »

Deux jours après ce télégramme délirant, le 16 mars 1986, la droite revient au pouvoir. Les écoutes cessent immédiatement. Mais l'« affaire des Irlandais », elle, continue.

Six ans plus tard, le 15 janvier 1992, la cour d'appel de Paris relaxe Christian Prouteau, qui avait été condamné en première instance, et condamne Jean-Michel Beau à un an de prison avec sursis. Paul Barril, lui, n'est même pas inquiété... Mais l'affaire rebondira une dernière fois à l'occasion d'un retentissant procès pour diffamation entre le capitaine et le quotidien *Le Monde*.

Épilogue noir : Bernard Jégat, manipulé de toutes parts, engagé malgré lui dans une affaire d'État, décédera à quarante-cinq ans, le 13 février 1994, des suites d'un cancer.

Magistrats et avocats

La mise sur écoutes de Jégat aura permis à la cellule d'effectuer une longue plongée dans le monde des magistrats et des avocats, une nouvelle fois au mépris de la séparation des pouvoirs et du nécessaire secret de la défense. Le fichier *TPH* qui centralise toutes les écoutes recense de ce fait la fine fleur de la magistrature et du barreau. Toutes écoutes confondues, on y découvre par exemple les noms de six magistrats (Jean-Louis Bruguière, Laurent Davenas, Alain Marsaud, Alain Verleene, Dominique Foulon et Claude Grellier). Devenu entre-temps député RPR, informé par *Le Point* de l'existence d'une écoute le concernant, Alain Marsaud est stupéfait : « On croit rêver ! Voilà qu'un juge d'instruction, tranquillement à l'abri dans son bureau, se trouve fortuitement écouté tout simplement parce qu'un journaliste l'appelle de son domicile. Ce sont pour le moins de mauvaises mœurs. Il faut espérer qu'il y a été mis fin. »

Une trentaine d'avocats « tombent » également dans les filets de la cellule : Mes Jean-Denis Bredin, Christine Courrégé, Jacques Vergès, Daniel Soulez-Larivière, Francis Szpiner, Thierry Levy, Philippe Lemaire, Henri Hadjenberg, Pierre Lemarchand, etc. L'un d'eux, Yves Baudelot, pourtant avocat du Parti socialiste, a même droit à une fiche circonstanciée, le 29 novembre 1985. On y apprend qu'il est membre du conseil de l'Ordre, qu'il défend *Le Monde* depuis 1976, que le quotidien du soir « apprécie la bonne grâce, la compétence et la conscience d'un juriste scrupuleux jusqu'au perfectionnisme. Son père, Bernard Baudelot – poursuivent les gendarmes, laudatifs –, fut en 1972 et 1973 un bâtonnier de Paris apprécié et respecté, et reste aujourd'hui un ancien bâtonnier toujours très présent dans sa profession ».

Plus grave encore, bafouant les droits de la défense, la cellule a mis directement sur écoutes deux avocats : Me Comte et Pierre Novat (pseudo : « Notre »), avocat de Paul Barril (voir chapitre sept).

Qu'aurait pensé l'avocat François Mitterrand s'il avait appris, avant 1981, que nombre de ses confrères étaient écoutés sur ordre de l'Élysée ? Nul doute que le brillant leader de l'opposition se serait à nouveau livré à un réquisitoire vengeur contre l'État policier...

IV

... et même Charles Pasqua !

La cellule élyséenne s'est-elle livrée à des écoutes politiques ? Avant tout chargée de la protection de François Mitterrand et de la détection de tout ce qui pourrait l'atteindre, la cellule n'est pas systématiquement à la recherche de renseignements politiques. Les fins limiers de Christian Prouteau sont plus intéressés par les fuites qui se produisent dans les allées de la République, les « coups tordus » ou les menaces terroristes, que par les bruits et rumeurs du microcosme politicien. Il est vrai que le Président n'a nul besoin de la cellule pour les entendre. Ses propres réseaux d'information y suffisent amplement. D'ailleurs, les super-gendarmes de l'Élysée, à une exception près, n'ont pratiqué, semble-t-il, aucun branchement téléphonique direct sur des leaders politiques. Mais bon nombre d'entre ces derniers ont été incidemment piégés et intégrés dans les fichiers lors de conversations avec des « écoutés ».

Les hommes de Prouteau n'ont cependant pas négligé la collecte d'informations en marge de la politique. À quelques mois des élections législatives de 1986 qui verront le retour au pouvoir de la droite, ils n'ont pas hésité à brancher l'entourage direct de deux hommes politiques de l'opposition. François Froment-Meurice, secrétaire général-adjoint du CDS et homme de confiance de Pierre Méhaignerie, a été placé sur écoutes à partir du 30 mai 1985, à la demande de Christian Prouteau, sous les pseudonymes de « Frite 1 » et « Frite 2 », à son domicile parisien ainsi qu'à son bureau, près de la gare Saint-Lazare. Quant à Joël Galipapa, à l'époque très proche collaborateur de Charles Pasqua, il a eu droit lui aussi à un branchement en règle.

D'autres personnalités politiques ou parapolitiques tombent par hasard dans les filets des « écouteurs », qui reproduisent en se régalant leurs conversations. C'est ainsi qu'en écoutant un journaliste, ils ont la surprise d'entendre à de très nombreuses reprises la voix de Françoise Castro, épouse de Laurent Fabius. Ils réaliseront ainsi l'exploit d'écouter – et de ficher – la femme du Premier ministre en exercice !... Françoise Castro est en effet une amie de Georges Marion, alors journaliste au *Canard enchaîné* avant d'entrer au *Monde* (au terme de négociations dont les « écouteurs » ne perdront pas une miette), mis sur écoutes, sous le pseudonyme de « Bout », à son domicile en raison de ses articles sur les affaires « sensibles ». « Elle salue Bout par son prénom », notent d'ailleurs, méticuleux, les gendarmes au bas de la première transcription (8 février 1986) dans laquelle les interlocuteurs évoquent longuement le récent passage de Serge July à l'émission *Apostrophes*, à propos d'un livre dans lequel il mettait en cause Laurent Fabius.

> *Françoise Castro :* « Je vous appelle parce que je suis autorisée à vous dire un truc sur le bouquin de July : vous pouvez dire que c'est faux. L'histoire sur Rocard est tout à fait inventée... L'histoire Rocard, c'est-à-dire que Mitterrand a appelé Laurent au milieu de la nuit pour lui annoncer que Rocard avait démissionné... C'est exactement l'inverse ! À l'Élysée, ils n'ont pas osé réveiller Mitterrand. C'est Laurent qui a appelé Mitterrand... July écrit : Mitterrand a demandé à Fabius d'appeler Rocard, et Laurent aurait dit : "Non, je ne veux pas l'appeler, il a commis une faute, laissons-le commettre une autre faute." Il n'a jamais dit ça ! C'est Laurent qui l'a appris à Mitterrand... »

Deux semaines plus tard, Françoise Castro et Georges Marion prennent pour le lundi suivant un « rendez-vous fixé à 16 heures 30 dans un café situé à proximité du Palais-Bourbon sur le même trottoir que l'ancien siège du PS. « Bout » le note dans son agenda électronique ».

Quelques mois après, le 27 février 1986, les hommes de Christian Prouteau retranscrivent intégralement une très longue conversation entre Georges Marion et Mme Fabius sur un sujet qui semble éveiller leur curiosité (voir annexe I). Il est vrai que l'histoire n'est pas banale : l'hebdomadaire d'extrême droite *Minute* s'apprête à publier des photos de Françoise Castro, les seins nus, en vacances. Elles ont été prises lors d'un séjour estival passé par le couple Fabius en compagnie d'un ami d'enfance du Premier ministre, l'avocat Jacques Perrot, marié à l'époque à la célèbre femme-jockey Darie Boutboul. En 1985, l'avocat, qui s'est entre-temps séparé de sa tumultueuse épouse, est retrouvé assassiné sur le palier de son cabinet, avenue Georges-Mandel, à Paris. Une longue instruction commence, qui aboutira finalement à la condamnation à dix-huit ans de prison de Marie Cons-Boutboul, la mère de Darie. L'affaire défraie la chronique et certains tentent par tous les moyens d'établir un lien entre ce mystérieux assassinat et l'amitié de la victime avec le Premier ministre. C'est ce qui inquiète Françoise Castro. Elle s'en ouvre régulièrement à Georges Marion.

Comment ces photos de vacances avec le couple Perrot sont-elles parvenues à l'hebdomadaire ?

Ironie de l'histoire, c'est par une écoute – judiciaire et donc parfaitement légale, celle-là –, posée sur la ligne de Darie Boutboul par le juge chargé d'instruire l'affaire Perrot, qu'on va l'apprendre. Par rancœur, la femme-jockey a purement et simplement vendu ces photos de vacances à *Minute*. Prix : quelques dizaines de milliers de francs. Les gendarmes de l'Élysée étaient vraisemblablement déjà au courant : en effet, depuis le 7 janvier 1986, le chef des informations générales de *Minute*, Jean Roberto, avait été placé sur écoutes par leurs soins. Or, c'est lui qui a négocié les photos avec Darie Boutboul. Entre cette écoute illégale d'un côté et l'écoute judiciaire sur la ligne de Darie Boutboul de l'autre, il y avait peu de chances pour que la négociation demeure longtemps secrète...

Alertée à la veille de leur parution, Françoise Castro se demande si elle doit faire saisir le journal par l'intermédiaire de son avocat, Mᵉ Mario Stasi.

> *Françoise Castro* (à Georges Marion) : « Moi, je pensais que *Minute* était déjà en parution, on disait qu'au fond on allait le faire retirer de la vente ; comme ça, ça ferait un bouillon économique (...). Mais Stasi dit qu'ils peuvent très bien enlever les photos, mettre des blancs en disant : "Voilà les photos qu'il vous est interdit de voir." Ce serait pire que tout. On va peut-être essayer de les laisser sortir et les faire condamner après. Laurent avait d'abord dit non... Après, il s'est dit : après tout, pourquoi pas ? Et puis là, il hésite... »

Marion lui annonce que *Libération* va publier un article sur cette affaire dès le lendemain.

« Ces photos, je m'en fous », répond Françoise Castro qui a déjà été prévenue par d'autres journalistes et qui, surtout, semble craindre de nouvelles révélations de la part de Darie Boutboul.

> « Si ça sort dans quinze jours, après la campagne [des législatives], c'est moins gênant. D'après Me Stasi, si on montre qu'on est déterminé, ils ne sortiront pas le reste tout de suite. »
> *Marion :* « Montrer qu'on est déterminé, c'est faire immédiatement un référé [pour réclamer la saisie de *Minute*] ? »
> *Françoise Castro :* « Ou attendre que ça sorte demain, et, une fois que c'est sorti dans les kiosques, le faire arrêter, comme une fois, l'année dernière, avec *Match* (...). Je vous rappelle après avoir eu Stasi. À tout à l'heure... »

Promesse tenue : à 16 heures 48, selon les « écouteurs », elle rappelle le journaliste :

> « Ça passe au tribunal de grande instance à 18 heures 30. On va essayer de faire retirer ces images. On a fait passer un communiqué disant que c'étaient des affaires privées. »

Françoise Castro craint en effet qu'en évoquant ces photos, on ne soit contraint de parler de leur source, et donc de la mise sur écoute judiciaire de Darie Boutboul :

« Or, explique-t-elle, tout le monde va croire que c'est Fabius qui a fait écouter Darie Boutboul (...). Tout le monde va lire cet article où il est dit que Darie Boutboul est écoutée (...) ; si elle a vendu des trucs, c'est peut-être qu'il y a anguille sous roche... Les gens vont retenir : un, écoutes, deux, elle a vendu... »

L'article à ce sujet paraît dans *Libération* du lendemain. Le matin même, à 9 heures 44, Françoise Castro rappelle Georges Marion. Compte rendu des gendarmes de l'Élysée, décidément passionnés par ce dossier :

« La presse ne dit rien, constate Françoise Castro, sauf *France-Soir* qui titre ignoblement : "Scandale chez les Fabius". Il y a un truc gentil dans *Le Quotidien*. Ivan Levaï était neutre, fantastique, extraordinaire. » Ils précisent : « Françoise Castro rappelle à 9 heures 57 et déclare que tout le monde l'appelle pour lui dire que *Minute* est en vente (astreinte de 100 francs par numéro). »

Épilogue en forme de fin de non-recevoir : à l'hebdomadaire *Le Point* qui lui apprend en avril 1993 qu'elle a fait partie des écoutés, Françoise Castro répond sobrement : « Les faits dont vous me parlez sont anciens, je ne me souviens pas. Je n'entends faire aucun commentaire là-dessus. » Mais, conséquence automatique – et surréaliste ! – de ces conversations, les Fabius seront, comme tous les écoutés, soigneusement mis en fiche. On trouve donc à la page 635 du fichier *TPH* (voir annexe I) : « Fabius Laurent, place du Panthéon, etc. », assorti de ce commentaire digne des libelles d'extrême droite et qui en aurait fait sursauter plus d'un, à l'époque, dans les couloirs de l'Élysée et de Matignon : « Son épouse, née Castro, née juive gréco-turque, née au Mexique, naturalisée française. En contact avec Bout [Georges Marion] et Benet [Edwy Plenel]. » Une mention qui n'est hélas pas unique dans les écoutes élyséennes : à propos d'un correspondant non identifié du journaliste Marion, les gendarmes notent sans sourciller : « X... a un fort accent étranger qui ressemble à l'accent des juifs de l'Est... »

À droite toute !

Mais si les « écouteurs » se sont longuement attardés sur cet épisode insolite, c'est plutôt du côté des hommes de droite qu'ils vont pêcher leurs informations politiques. Ainsi, de septembre 1985 à mars 1986, la cellule branche Joël Galipapa. Qui est ce personnage de l'ombre de la galaxie Pasqua ? Proche de Pierre Pasqua, fils de Charles, il jouait à l'époque auprès de celui-ci, comme il l'a dit lui-même au juge Valat, le rôle « d'aide de camp et de chef de cabinet ». De son passé d'étudiant engagé, il a gardé des connexions avec l'extrême droite – en particulier avec Jean-Marie Le Pen et son entourage. Une position stratégique à quelques mois des élections législatives de 1986 : avec le retour au scrutin proportionnel et la probable élection de plusieurs députés du Front national, la droite classique risque de ne pas atteindre la majorité absolue à l'Assemblée. Dès lors, Joël Galipapa, qui joue un peu, semble-t-il, le rôle de messager officieux entre l'équipe Pasqua et le Front national, intéresse de près les « écouteurs ». Ils se tiennent ainsi au courant de la constitution des listes des différents partis, mais surtout, au moment où le Parti socialiste suspecte le RPR de vouloir négocier en coulisses avec le Front national, ils suivent pas à pas les discrets contacts entre les entourages respectifs de Charles Pasqua et de Jean-Marie Le Pen.

Dès le 10 septembre 1985, les gendarmes de l'Élysée comprennent qu'ils ont mis dans le mille, et tendent l'oreille. À 18 heures 43, Joël Galipapa appelle au siège parisien du Front national, rue du Général-Clergerie. « Ariane a organisé un déjeuner entre Joël et Le Pen », notent-ils. Deux heures plus tard, une autre écoute révèle : « Joël a rendez-vous avec Pasqua demain midi. » Le 13 à 18 heures 10, nouvelle confirmation du rendez-vous entre Le Pen et Galipapa. À 19 heures 07, Galipapa sollicite un nouveau contact avec Charles Pasqua. Le 25 septembre, il appelle au domicile du futur ministre de l'Intérieur dont l'adresse et le numéro de téléphone à Neuilly sont soigneusement notés par la cellule, comme l'ont été, la veille, ceux du député Patrick Devedjian. L'esprit toujours pratique et non dénué d'arrière-pensées, les gendarmes établissent une fiche spéciale et détaillée à propos de la nouvelle adresse de leur « client » Galipapa, qui vient de déménager : « Avenue Paul-Doumer, 6ᵉ étage droite, code : 563 BC. Paris XVIᵉ. »

Le 7 octobre, intermède politico-mondain : « Pasqua offre un cocktail mercredi au Sénat pour la sortie de son livre *L'Ardeur nouvelle.* » Dans le même compte rendu d'écoute, on peut lire : « Joël cherche de l'argent pour Jean-Marie Le Pen. » Au passage, au cours d'une conversation avec Alain Robert, ancien leader d'Ordre nouveau, proche lui aussi de Pasqua, les gendarmes apprennent le détail des tractations secrètes entre le RPR et un autre parti de la droite, le CNI : « Dans l'hypothèse d'un accord RPR-CNI, Alain Robert sera dans les six premiers. Voilà exactement ce qu'a dit Toubon : il y aurait six gars du CNI qui seraient en position d'éligibilité, mais qui ne seraient pas ce qu'on appelle des élus sûrs. »

Le 21 septembre à 13 heures 25, les choses se précisent : « Joël rencontrera Le Pen ce soir à 19 heures. » Résultat à 21 heures 33 : « Joël rentre de son rendez-vous avec Le Pen. » Il tente visiblement de décrocher une place d'éligible sur les listes du Front national, ce qui ne l'empêche pas, le lendemain, de lancer un véritable appel au secours à Pasqua : « Joël veut le voir, car ça tangue et il a des problèmes : "Il faut que vous m'indiquiez précisément votre pensée." Ils se verront au Sénat. » Nouvel appel, plus précis, le 29 octobre dans la soirée : « Joël a rendez-vous avec Pasqua pour le 30 à 21 heures 30. » « Il faut que vous réserviez d'ores et déjà pour lundi ou mardi une petite demi-heure pour notre camarade syndiqué », ajoute, mystérieux, Galipapa. Pasqua répond : « Oui, OK. » Ce « camarade syndiqué » ne serait-il pas le leader du Front national ?

Selon Daniel Carton, auteur de *La Deuxième Vie de Charles Pasqua*[1], Jean-Marie Le Pen et le futur ministre de l'Intérieur se seraient bien rencontrés à deux reprises au cours de cette période. La cellule de l'Élysée l'a su dès l'automne 1985.

Autre rencontre inattendue, négociée par Galipapa : celle de Charles Pasqua et d'un ancien de la cellule, le capitaine Paul Barril. L'objet de ce contact hautement « sensible » ? Galipapa l'expliquera au juge Valat, y voyant le motif essentiel de sa mise sur écoutes : « Au moment de l'affaire Greenpeace, des nageurs de combat avec qui Paul Barril avait travaillé ont été en butte aux pressions de leur hiérarchie et scandalisés par la manière dont quatre d'entre eux avaient vu leur carrière sacrifiée par le ministre de l'Intérieur. Tout naturellement, ces nageurs de combat se

---

1. Flammarion, 1995.

sont tournés vers celui qui avait toutes les chances de devenir ministre de l'Intérieur après les élections. J'ai donc été en contact avec un certain nombre de nageurs de combat par l'intermédiaire de Paul Barril qui était l'un de mes amis. Je suis convaincu que ces contacts ont été à l'origine des écoutes dont j'ai été l'objet. »

Ce qui n'a pas empêché les « écouteurs » de s'amuser des pronostics de Galipapa et de l'un de ses amis journalistes, le 19 mars 1986, trois jours après les élections, dans leur dernière écoute. Alors que le gouvernement n'est pas encore constitué, ils se font l'écho des dernières rumeurs : « Au sujet de l'équipe de "Tarzoon" [Jacques Chirac], Toubon à la Culture et à la Communication, Balladur aux Finances avec Jupet *(sic)* au Budget, Charlie [Pasqua] à l'Intérieur, Pandraud à la Sécurité civile, Giscard aux Affaires étrangères et Léotard à la Défense nationale. » Quatre sur sept : un score honorable.

À la veille de ces élections, les passerelles entre la droite classique et le Front national semblent décidément passionner la cellule élyséenne. Après Joël Galipapa, elle jette son dévolu sur un autre homme qui oscille entre le RPR et le parti de Jean-Marie Le Pen : Nicolas Tandler. Ce journaliste à *La Vie française* a un parcours politique marqué : après avoir milité très jeune en faveur de l'Algérie française, il se rapproche de la rédaction du bulletin – violemment anticommuniste – *Est-Ouest*, dirigé par Georges Albertini, avant de rejoindre les rangs d'Ordre nouveau. Fasciné par tout ce qui touche aux services secrets, il crée en 1983 *Autres Mondes*, sous-titré : « Lettre d'information sur les problèmes du socialisme, du communisme et du syndicalisme. » C'est pourtant au RPR que Nicolas Tandler décide d'adhérer en 1982 : il devient vite délégué national du secteur « formation » et dirigera la *Lettre de la Nation* à la mort de Pierre Charpy. Mais il n'a jamais rompu les liens avec ses anciens amis : Tandler est en effet un partisan de l'alliance entre toutes les droites. Il finira d'ailleurs par adhérer au Front national en 1988. C'est cette proximité idéologique qui intéresse sans doute l'Élysée.

Tandler est simultanément écouté à son domicile sous le pseudonyme de « Tango », et à *La Vie française* sous celui de « Sosie » (pour la SEFEB, société éditrice du journal). Ces écoutes permettent au passage d'explorer quelque peu le monde syndical français, car Tandler prépare en cet automne 1985 un ouvrage intitulé *Un inconnu nommé Henri Krasucki*. Les conversations évoquent donc parfois des dissensions internes à FO ou à la CGT. Mais cet intellectuel qui refait souvent le monde au téléphone est très œcuménique : en l'espace de quelques semaines, il assure des conférences de formation dans les fédérations du RPR, tout en rédigeant le discours du leader du FN, Jean-Pierre Stirbois, qui « doit prendre la parole à la Mutualité à l'occasion de la venue de Gorbatchev en France ». Les instructions au « nègre » Tandler sont précises : « Le topo de Stirbois doit être violemment anticommuniste, tout en parlant quand même de l'URSS... » À un ami qui lui demande si ce mélange des genres ne le trouble pas, il répond : « C'est une unité d'action... »

Parfois, ses conversations abordent des sujets inattendus. Un journaliste de *Minute* lui demande ainsi s'il a des tuyaux sur un « dépôt d'or balte que la Banque de France a récupéré dans ses caves » ! La cellule élyséenne et son chef sont même évoqués : Tandler se demande si Christian Prouteau n'a pas transformé un journaliste parisien en « agent de l'Élysée ». À moins, lui répond son interlocuteur, que « Prouteau se fasse manœuvrer par lui ». « Analyse intéressante », commentent, pince-sans-rire, les gendarmes de la cellule ! Ce qui ne les empêche pas de suivre avec la plus grande attention l'achat « de photocopies concernant Hernu », pour 3 000 francs en liquide, à destination du quotidien d'extrême droite *Présent*. « Ils ont peur qu'Hernu n'intervienne pour supprimer des preuves », observent les gendarmes.

Au passage, les « grandes oreilles » de l'Élysée recueillent avec plusieurs jours d'avance les appels d'« honorables informateurs » qui distillent d'impressionnantes séries d'échos confidentiels pour *La Vie française*. Ainsi, le 15 janvier 1986, notent-ils : « François de Grossouvre, ancien chargé de mission à la Présidence de la République, devenu conseiller pour les affaires internationales d'armement de Marcel Dassault, continue à suivre discrètement pour le Chef de l'État certains dossiers internationaux sensibles : les relations avec le Liban, la Syrie et les deux Corée. » Ou encore : « François Mitterrand a l'intention de multiplier les contacts avec les milieux diplomatiques, avec les grandes ambassades à Paris, mais également d'écrire à plusieurs présidents et chefs d'État étrangers pour leur indiquer qu'après mars 1986, il a l'intention de rester à l'Élysée jusqu'au terme de son mandat, et que la politique étrangère de la France sera le fait du Président de la République. »

De l'Élysée à l'Élysée, ou l'information en boucle...

Le branchement du très bavard et très affairé Tandler met à l'épreuve le « talent » de synthèse des gendarmes de la cellule. Les pauvres « écouteurs » doivent ainsi résumer en un feuillet une longue conversation où il est notamment question, si l'on en croit les rubriques « Personnes », « Lieux » et « Organisations citées », de « Michel Rocard, Charles Hernu, Valéry Giscard d'Estaing, François de Grossouvre, Marcel Dassault, François Mitterrand, Colonel Kadhafi, Chadli, Pierre Mauroy, Laurent Fabius, baronne Laurence Bich, baron Marcel Bich, Jean-Marie Le Pen, Oriach, Clermont-Ferrand, Guadeloupe, Liban, Syrie, Corée, Martinique, Présidence de la République, Élysée, Paris *(sic)*, Algérie, France *(re-sic)*, Afrique, Libye, Alger, La Haye, élections législatives, Toulouse, Yvelines... »

Mais il n'y a pas qu'autour des relations RPR/FN que de grandes manœuvres préélectorales se déploient à droite. Après le RPR, les « écouteurs » espionnent aussi un membre éminent de l'UDF, François Froment-Meurice, secrétaire général adjoint du CDS. Heureux hasard, c'est lui qui a été mandaté par son parti pour négocier avec ses partenaires de l'opposition la plate-forme RPR/UDF en vue des élections de mars 1986. Fait exceptionnel, sa notice dans le fichier *TPH* comporte à la rubrique « demandeur » : « *Élysée (Ménage)* ». La demande de branchement émanerait donc du directeur adjoint de cabinet de François Mitterrand en personne. Froment-Meurice, présenté comme « conseiller municipal à Montmorency », est placé sur écoutes le 30 mai 1985 sous le « pseudo » de « Frite » à son domicile du IXe arrondissement de Paris. Une semaine plus tard, sans doute déçus du résultat, les « écouteurs » s'en prennent à ses bureaux de l'ADEM (Association pour le développement de l'économie de marché), rue de Rome, à Paris. Cette fois, c'est de Christian Prouteau qu'émane la demande d'écoute de « Frite 2 ». Froment-Meurice est en l'occurrence présenté comme « documentaliste ». Motif invoqué : « trafic d'armes » !

Pourquoi cette sollicitude élyséenne ? Cet énarque issu d'une famille de grands commis de l'État, longtemps bras droit de Pierre Méhaignerie, tente lui-même de comprendre : « J'avais créé à l'époque l'association "SOS Chrétiens du Liban" qui entretenait des contacts réguliers avec de hautes personnalités libanaises. Je l'avais domiciliée dans mes locaux de l'ADEM. En pleine période de négociations autour des otages, au printemps 1985, j'avais lancé un appel à la France pour qu'elle n'abandonne pas les chrétiens du Liban. » Au bas de ce texte œcuménique publié dans *Le Monde* du 26 juin 1985, et qui appelle à éviter un « nouveau génocide arménien », on trouve notamment les signatures de François Léotard, Dominique Baudis, Jacques Barrot, Bernard Stasi, Bernard-Henri Lévy, Jean Ellenstein, André Frossard, Jean-François Revel... On imagine que les « écouteurs » considéraient avec un intérêt certain cet homme de l'opposition doté d'un tel carnet d'adresses. Mais cela leur suffisait-il pour subodorer quelque agitation suspecte autour de l'affaire du Liban ?

François Froment-Meurice avait d'autres activités politiques au moins aussi instructives. Chargé de négocier le programme de l'opposition pour les élections législatives, il était en contact permanent avec Alain Madelin pour le PR et Alain Juppé pour le RPR. Étaient notamment évoqués lors de leurs conversations les futurs axes de la campagne, mais aussi la liste –

alors secrète – des grandes entreprises qui seraient privatisées si la droite venait à l'emporter. Du miel pour les « écouteurs » ! François d'Aubert, piégé lors de ces négociations, portera d'ailleurs plainte, huit ans plus tard, auprès du juge Valat.

Dernier motif d'intérêt pour la cellule : François Froment-Meurice était à l'époque un membre très actif du Conseil d'État. Là encore, cet aspect de son travail pouvait intéresser les hommes de l'Élysée.

Le dossier des écoutes aura de lourdes conséquences pour cet éminent dirigeant du CDS. En évoquant l'affaire dans son édition du 12 mars 1993, le quotidien *Libération* publiera en effet le fac-similé de certaines demandes d'écoutes. Celle concernant François Froment-Meurice y figure en bonne place avec, on l'a vu, la mention « Trafic d'armes ». À ce moment-là, même si on peut le supposer, on ignore encore que la cellule utilise des motifs souvent fallacieux pour justifier ses branchements. La date de cette révélation tombe particulièrement mal pour le responsable du CDS : le dimanche suivant, il est candidat aux élections législatives dans la 7e circonscription du Val-d'Oise. L'un de ses adversaires saute sur l'occasion et fait éditer un tract reproduisant le document, en soulignant bien le motif de l'écoute, avant de le distribuer à la sortie des églises, bastion de l'électorat du chrétien-démocrate Froment-Meurice. Battu et indigné, celui-ci portera plainte contre la cellule élyséenne quelques jours plus tard. Il sera donc l'un des protagonistes du futur procès des écoutes, le seul élu du dossier à avoir été directement « branché » par la cellule élyséenne.

V
Vraies barbouzes
ou faux journalistes ?

Dès son installation à l'Élysée en 1982, la cellule a été victime, comme le Président et son entourage, du « syndrome Allende » : François Mitterrand craignait en effet les manœuvres de déstabilisation d'une extrême droite qui n'avait pas supporté l'arrivée au pouvoir de l'alliance socialo-communiste. Aussi, dès sa mise en place, l'équipe de Christian Prouteau a-t-elle voulu en savoir plus long sur les menées « subversives » de pseudo-barbouzes d'extrême droite travaillant dans des sociétés de protection ou de sécurité. Un monde trouble d'individus déjà largement fichés par les services de police et que certains membres de la cellule connaissent bien, soit pour les avoir pistés, soit pour les avoir croisés chez des amis communs... Les écoutes massives « antimercenaires » ne font pourtant que confirmer ce que chacun soupçonnait : ces personnages fantasques, souvent mythomanes, mais parfois dangereux, éternels soldats de fortune fascinés par les ragots de basse police, passent alors plus de temps à vendre des « tuyaux » – souvent percés – à la grande presse qu'à ourdir des coups d'État contre le Président Mitterrand !

Le prototype de ces « grands informateurs », mis sur écoutes par la cellule sous le pseudonyme de « Lannion », est un ancien « indic » des débuts de la Ve République, longtemps membre du SAC avant de se recycler dans le journalisme, puis dans la protection rapprochée à l'étranger. Met-il vraiment l'Élysée en péril ?

Voici un aperçu des activités de ce journaliste-mercenaire multicartes :

Premier motif d'étonnement et d'intérêt pour les « écouteurs » : « Lannion » est en contact quasi permanent avec des journalistes du *Matin*, de *Libération*, du *Canard enchaîné*, du *Point* et même de l'hebdomadaire allemand *Stern* ! Il passe en effet le plus clair de son temps à distiller des informations confidentielles – souvent sur l'extrême droite – à des journaux plutôt rangés à gauche ! Ainsi, le 15 juillet 1985, ce savoureux dialogue avec un journaliste du *Canard enchaîné* :

Lannion : Brigneau va créer un hebdomadaire, *Présent*, et va donner sa démission de *Minute*...

Le journaliste : J'ai besoin de vous voir, mais pas aujourd'hui. La deuxième chose, c'est... ?

L. : La création d'un nouveau magazine, *Marianne,* émanant de l'ancien groupe de *Magazine-Hebdo.*

J. : Ils ont des ronds ?

L. : Il faut croire (...). La troisième chose : Le Gallou, du Club de l'Horloge, il a rejoint Le Pen...

(*N.B.* : Ils se rappelleront lundi à 8 heures 15.)

Ou encore cette conversation, le 6 juillet de la même année, avec un journaliste de *L'Événement du Jeudi :*

Lannion : J'ai quelques trucs qui pourraient vous intéresser...

Le journaliste : La Nouvelle-Calédonie ?

L. : Non, pas spécialement. Je peux vous en donner, mais ça n'est pas encore le moment... Ce que j'ai qui peut vous intéresser, c'est des escadrons de la mort sud-africains. J'ai des photos et quelques trucs marrants. Ce sont des Français... Il y a ça, et puis des accords Iran-Libye et les achats d'armes de l'Iran à l'heure actuelle. Voilà. Rendez-vous mardi matin à 10 heures...

Une autre fois, à un hebdomadaire d'extrême droite, il propose « de nouveaux trucs concernant les marchés d'armements iraniens dont un chargement est parti il n'y a pas longtemps de Strasbourg ». Il essaie même de vendre à divers journaux un dossier « accablant » sur... les relations politiques entre Danielle Mitterrand et le dictateur des Seychelles, Albert René !

Mais, à l'époque, les journalistes spécialisés de Paris tournent essentiellement autour de la fameuse « troisième équipe » de l'affaire Greenpeace, et cherchent à identifier ses membres. Là encore, « Lannion » a la solution : « La troisième équipe n'était pas de la DGSE, explique-t-il à un journaliste qui publiera l'information. C'était une équipe composée de deux nageurs de la Marine nationale de Brest, avec une couverture mercenaire. » Plus tard, il livre même leurs noms !... Les gendarmes de l'Élysée notent scrupuleusement, à tout hasard, bien qu'ils sachent pertinemment que ces renseignements sont erronés...

Vrai ou faux, ils retranscrivent le 18 octobre 1985 une longue conversation entre « Lannion » et un journaliste, toujours à propos de l'affaire Greenpeace. Sujet : les liens entre Christian Prouteau et l'hebdomadaire d'extrême droite *Minute* :

> *Lannion :* Après une petite enquête, quand je me suis aperçu que la secrétaire de M. Prouteau était néo-zélandaise, j'ai donné cette information à *Minute*. J'ai fait un petit article comme on fait habituellement. Sur ce, de Beketch [rédacteur en chef de *Minute*] m'a dit : « Y en a pas beaucoup qui connaissent bien Prouteau. » Il

était assez ennuyé parce qu'effectivement, à une certaine époque, il y avait des documents que *Minute* devait publier, et il y a eu un compromis de fait avec le colonel Esquivié, dit « l'Archevêque », et Prouteau. Ce qui fait qu'ils sont en très bonnes relations avec *Minute*. Bravo à de Beketch qui, du coup, a passé mon article à Prouteau ! On voit sa haute déontologie... !

Le lendemain, pour en avoir le cœur net, « Lannion » joint Beketch : celui-ci dément avoir remis quoi que ce soit à Christian Prouteau ; il confirme qu'un *deal* a bien été passé avec la cellule, mais déclare que celle-ci ne l'aurait pas respecté.

> « Depuis cette affaire, se défend Beketch, je n'ai pas revu ces gens-là, parce que je suis fou de rage contre eux. La cellule nous réclame trente briques, alors qu'il était entendu qu'elle ne nous ferait pas de procès ! Il ne faudrait quand même pas nous prendre pour des cons ! »

Parallèlement, « Lannion » donne un coup de main à Pierre Sergent, l'ancien chef de l'OAS, qui va se présenter aux législatives sous les couleurs du Front national à Perpignan. Commentaire de l'Élysée : « Il ne fait plus aucun doute maintenant que la tendance politique de Lannion se confond avec les objectifs de Sergent. » Ce qui n'empêche pas « Lannion », pour arrondir ses fins de mois, de faire du collage d'affiches pour le compte du RPR des Hauts-de-Seine – « du Pasqua et du Labbé au tarif de 2 000 francs la soirée », si l'on en croit une autre écoute !

Décidément éclectique, il se voit même proposer un travail pudiquement baptisé « récupération de créances en Égypte ». Conditions en style télégraphique : « deux banques, un sbire, un million et demi [d'anciens francs] de voyage, 10 % à récupérer sur 200 briques »... Il se laisse tenter, semble-t-il, puisque les gendarmes notent, quinze jours plus tard, un appel à un ami employé à Roissy : « Départ pour Le Caire par le vol Air France 126, de Roissy 2, terminal A à 13 heures 05. » Mais ladite « mission » se soldera par un échec...

À « Lannion », rien d'impossible ! Le 11 décembre 1985, un honorable journaliste d'un grand hebdomadaire l'appelle : « Il a besoin de filles pour avoir des "tuyaux" sur la Conférence africaine. » On pense à un canular, tant la demande semble grotesque. Pourtant, dès le lendemain, « Lannion », notent les gendarmes, « recherche des péripatéticiennes qu'il pourrait envoyer à la Conférence franco-africaine »... Suit une liste de noms, d'adresses, de téléphones : Laurence, Brigitte, Carole et même... Laurent ! Cet inquiétant stratagème aura-t-il suffi à extorquer des « scoops » sur les relations franco-africaines ?

Après la barbouze informatrice, plus sérieuses mais plus discrètes, les barbouzes baroudeuses –

espèce qui intéresse tout particulièrement les gendarmes. Affaire Greenpeace, affaire Luchaire (vente illégale d'obus français à l'Iran), négociations autour des otages du Liban : coups tordus et trafics d'armes fleurissent au fil des écoutes. On découvre un univers d'intermédiaires bizarres, de gardes du corps de personnalités étrangères, voire de maîtres chanteurs mêlés parfois à des noms connus. Une faune souvent quelque peu mythomane, mais qui peut aussi monter de « vrais » coups susceptibles de concerner la sécurité de l'État, donc la cellule de l'Élysée. Plusieurs sociétés de « sécurité » basées à Paris se retrouvent ainsi dans le collimateur des hommes de Christian Prouteau.

Ils suivent par exemple les pérégrinations d'un célèbre mercenaire surnommé – peut-être à juste titre... – « Tir » ! Au fil des écoutes, on voit celui-ci organiser des « stages de brousse » au Gabon, tout en négociant avec un membre de l'état-major gabonais une commande d'armes et de munitions. Au centre des discussions, la construction d'« une usine de munitions ». Les tractations à Paris sont suivies avec la méticulosité habituelle par la cellule : adresses, téléphones, codes, étages, lieux de rendez-vous... Parallèlement, « Tir », très international, est en contact avec un Corse qui « aurait une demande du même genre de produit de la part de l'Irak ». « Tir », commentent les gendarmes, est cette fois « plus réservé sur ce pays qui est complètement couvert au niveau des autorités françaises et où on n'aime pas les curieux ». Dans le même temps, « Tir » achève une « étude » pour un Brésilien à propos du « remplacement d'un ministre dans ce pays ».

Les conversations prennent parfois un tour très « commercial » : en octobre 1985, apprend-on, le Nigeria cherche « un Boeing 747 et cinq 737 d'occasion ». « Tir » se charge de cette commande originale en mettant ce pays en contact avec une société parisienne. « Tir a des réactions de brave type », note étrangement la cellule. Plus romanesque : « Tir » raconte à un général gabonais qu'il « a le projet de rechercher une épave, au large des côtes gabonaises, qui contiendrait quelques trésors. L'épave gît au large de Port-Gentil. Un archéologue sous-marin est associé dans cette démarche à la Comex qui s'est assurée le support logistique d'Elf. Tir est anxieux, car des plongeurs indépendants seraient informés de cette découverte. »

Mais le monde impitoyable des trafiquants d'armes internationaux reprend vite le dessus. Ainsi, en février 1986, à propos d'un autre contrat d'armement, cette conversation inquiétante :

Tir : Le Nigeria est en cessation de paiement.
X. : Pas grave, la France couvre tout. Elle a donné un milliard de dollars. La Coface couvre les Panhard qui ont été expédiés mardi.

Puis X. raconte son entrevue avec l'adjoint du chef d'état-major nigérian :

X. : Qu'est-ce qu'il y a comme munitions dans ce contrat ?

Militaire nigérian : Il y a beaucoup de pièces de rechange et 1 100 coups de munitions.

X. : Tu sais que c'est embarrassant ! Tout le monde est au courant de ce contrat. D'un autre côté, ton patron vient de passer trente jours dans ses unités, en train d'expliquer à ses militaires pourquoi il va en fusiller quelques-uns, pourquoi ils doivent accepter les réductions. Si un scandale comme ça sort, vous êtes tous cuits... Personne ne pourra contrôler les unités !

« Tir » intervient alors pour couper court, car il ne fait pas confiance au téléphone...

Entre deux négociations, les « écouteurs » de l'Élysée sursautent lorsqu'ils croient reconnaître sous le pseudonyme du « Tonnelier » leur vieux camarade Paul Barril, devenu frère ennemi de la cellule ! Ils le retrouveront souvent au fil d'autres écoutes (voir chapitre sept)...

Après les épaves, les sous-marins : en mars 1986, quelques jours seulement avant les élections, les gendarmes se passionnent pour un autre curieux négociant surnommé « Héron ». Selon sa fiche dans le dossier *TPH*, il s'agit d'« un dessinateur industriel, responsable d'une association d'anciens sous-mariniers, qui a voulu faire du chantage en disant qu'il connaissait des choses sur l'affaire Greenpeace ». Mais un autre compte rendu d'écoutes le présente comme « un ancien gendarme attaché à la caserne de Satory jusqu'en 1977 », ce qui a sans doute redoublé l'intérêt de la cellule.

Or, les écoutes révèlent qu'en réalité, s'il essaie de contacter Guy Penne, conseiller pour les Affaires africaines à l'Élysée, Roland Dumas et Michel Rocard, c'est pour obtenir l'autorisation d'exposer un sous-marin désaffecté au musée de la Mer à La Villette ! « Il doit s'agir du *Marsouin* ou du *Nerval* », notent les gendarmes qui suivent pas à pas les tractations de « Héron » avec les responsables de La Villette. « Roland Dumas est bousculé par l'affaire des otages », déplore « Héron » au téléphone. L'affaire tombe finalement à l'eau et l'écoute s'interrompt pour cause de « cohabitation »...

Beaucoup plus longue et compliquée fut la traque d'un autre aventurier, Dominique Érulin, frère du colonel Érulin qui avait dirigé, en 1978, l'opération des parachutistes français sur Kolwezi. Dès le 11 janvier 1983, l'un des premiers branchements connus de la cellule – code « Édredon » – porte la mention : « Localisation en France de Dominique Érulin ».

Sans doute la cellule craignait-elle que celui-ci ne montât un « coup » contre le pouvoir, en France ou ailleurs. Ancien garde du corps de Jean-Marie Le Pen, il aurait participé, aux côtés de Hubert Bassot, au service d'ordre de Giscard d'Estaing durant la campagne présidentielle de 1974. Il concentre donc sur sa personne tous les fantasmes de la cellule : extrême droite, mercenariat, proche du milieu militaire, etc.

Tout un réseau d'écoutes en étoile est monté pour tenter de « loger » l'insaisissable Érulin : les branchements « Bison », « Bruit », « Bougie », « Court » (en fait, l'hôtel Concorde-Lafayette où il aurait pu séjourner), « Delta » (le journaliste-écrivain Roger Delpey, ancien d'Indochine, mêlé à l'« affaire des diamants de Bokassa »), « Dragon », « Éros » (Dominique Érulin lui-même), « Leguer » (le night-club Le Caramel !), « Neveu » (une énigmatique entreprise de « nettoyage » !), « Nord », « Verdure » et « Vitale »... Peine perdue : Dominique Érulin s'est envolé de France dès 1981 ; il a demandé et obtenu l'asile politique au Paraguay, chez le sinistre général Stroessner...

À l'écoute du Liban...

La cellule antiterroriste s'est même occupée de vrais terroristes ! À l'époque, les mouvements basques, corses et indépendantistes antillais sont au cœur de ses investigations. L'Association révolutionnaire caraïbe (ARC), dirigée par Luc Reinette, très actif à l'époque, est surveillée de près, en particulier par l'équipe « Renseignements généraux » de la cellule. Sont écoutés

« Caille », « Javelot » (« individu violent connu des services de police, figurant au nombre des éléments armés préposés à la défense de Radio-Vodka »), « Mare » (« soupçonné de participer à la réalisation d'engins explosifs »), « Mondain », « Pipeau »...

Parallèlement, la cellule écoute tous azimuts des membres d'Action directe (« Caen »), de l'ETA (« Bruit » : « l'intéressée est l'amie du chef principal de l'ETA militaire en France » ; « Minet », « en relation avec l'Amérique latine ») et du FLNC (« Gyroscope » et « Planète », à la demande de Paul Barril).

Le terrorisme moyen et proche-oriental inté-resse évidemment aussi beaucoup les hommes de Christian Prouteau. Sont mis sur écoutes « Âne » (« haut responsable du mouvement ter-roriste palestinien »), « Menu » (« maîtresse du chef des services de renseignement libanais »), « Suède » (« Syrien arménien, secrétaire et garde du corps d'Hariri [président du Liban] »), « Noël » (« l'intéressé a été vu à deux reprises à Paris il y a quelques mois en compagnie d'un dis-sident extrémiste d'Amal »), « Yard »...

Cette surveillance donne parfois lieu à des « blancs » (notes sans en-tête, afin que la source ne puisse être identifiée) qui atterrissent dans les services spécialisés du ministère de l'Intérieur (PJ, RG, DST). Ceux-ci ne s'expliquent pas tou-jours la provenance de ces « tuyaux »...

Ces enquêtes parallèles sont d'ailleurs parfois à l'origine de quiproquos embarrassants : en 1983, les membres de la cellule, surexcités, se rendent à Orly pour y attendre Carlos, « annoncé » sur un vol en provenance de Tunis ; le terroriste n'est pas au rendez-vous, mais, en revanche, les hommes de Christian Prouteau tombent nez à nez avec leurs collègues de la DST qui avaient apparemment bénéficié du même « tuyau » percé...

Mais la grande affaire de « politique étrangère » de la cellule reste la libération des otages français du Liban : Michel Seurat, Jean-Paul Kaufmann, Marcel Fontaine et Marcel Carton. Il s'agit à la fois de tout mettre en œuvre pour essayer de les faire libérer – si possible avant les élections législatives de mars 1986 –, mais aussi, versant plus sombre, de surveiller discrètement les émissaires officieux du gouvernement français : ceux-ci ne seraient-ils pas des agents doubles, ou, pis, des « taupes » du RPR ? Autour des otages se déroule en effet une course de vitesse entre la gauche et la droite : ce sera à qui les fera libérer le premier...

Au cœur de ce jeu subtil, le Dr Razah Raad : ce médecin d'origine libanaise, lié aux milieux chiites par son épouse et ancien élu RPR d'Argentan, dans l'Orne, a proposé ses services à Roland Dumas, à l'époque ministre des Affaires étrangères, pour tenter d'obtenir la libération des otages. « Comme tous les visiteurs venant me proposer leurs bons offices, je l'ai soumis au test du bouton de chemise, racontera plus tard Jean-Claude Cousseran, alors directeur adjoint du cabinet de Dumas, en charge du dossier. Je leur disais : apportez-moi ne serait-ce qu'un bouton de la chemise de l'un des otages, et nous parlerons sérieusement. » Le Dr Raad fut le seul à rapporter cette preuve tant attendue : en septembre 1985, il parvient à remettre des lettres de Marcel Carton et Marcel Fontaine à leurs familles. Il effectue alors plusieurs voyages au Liban. Des déplacements et négociations sous très haute surveillance : à tel point que, lorsque la cellule se propose de placer sur écoutes Raad, qu'elle rebaptise « Roi », à son domicile parisien ainsi que dans son château de l'Orne, elle découvre qu'il est déjà écouté sous le pseudonyme de « Rovira » par la DST, avec l'aval de Louis Schweitzer, directeur de cabinet de Laurent Fabius, alors à Matignon !

Interrogé bien plus tard à ce sujet par le juge Valat, Louis Schweitzer ne se souvient pas exactement de cet épisode qui lui paraît néanmoins dans l'ordre des choses possibles : « Il se peut que j'aie, en réponse à une demande de la DST, accordé une autorisation d'écoute pour vérifier qu'une personne impliquée dans les négociations visant à la délivrance des otages du Liban n'était pas un agent double. Il se peut que la cellule ait fait la demande d'écoute de la même personne et que, devant arbitrer entre la demande de la DST et celle de la cellule, j'aie décidé qu'elle serait confiée à la DST. » Une décision qui n'empêchera pas la cellule de compiler tranquillement 427 conversations de Raad entre le 10 décembre 1985 et le 19 mars 1986. La moitié de celles-ci étant en arabe, elle se contente alors de noter : « conversations en arabe »...

Cette longue succession d'écoutes permet aux espions de l'Élysée de suivre les discussions entre Raad et le Quai d'Orsay, de jauger le moral des familles des otages et ce que savent les médias – en particulier le journaliste de *TF1* Jean-Pierre About, en contact permanent avec l'émissaire –, mais surtout d'épier pour le compte de l'Élysée le ministère des Affaires étrangères, dirigé par Roland Dumas.

Les gendarmes de l'Élysée retranscrivent ainsi « en sténo » toutes les conversations du Dr Raad avec Jean-Claude Cousseran, directeur adjoint du cabinet du ministre.

> *Raad :* Je voulais vous téléphoner, car j'ai reçu ce matin une lettre de Chaban. Il m'invite à déjeuner jeudi prochain. Je voulais vous avertir, car je ne voulais pas que vous l'appreniez par quelqu'un d'autre...
> *Cousseran :* Aucun problème, cela me paraît tout à fait normal. De toutes façons, les relations de M. Chaban-Delmas avec le Président et mon ministre sont ce qu'elles sont. Il n'y a pas de problème si vous déjeunez avec Chirac également.

Le ministre m'a dit qu'il souhaitait vous voir au début de la semaine.

R. : L'ambassade des États-Unis m'a appelé ; ils voudraient me voir...

C. : Je n'ai pas du tout d'objection, mais je voudrais éviter de créer une interférence avec ce que nous faisons, parce que leur objectif est de récupérer leurs otages. Donc, il faut que vous soyez très prudent.

Le fidèle Roland Dumas aurait sans doute été peiné de savoir que son collaborateur direct, chargé de récupérer les otages, était écouté par les hommes de l'Élysée. Il aurait pu y voir comme une marque de défiance. À moins que le Président ne l'en ait personnellement informé ?

À ce propos, dès le 23 décembre, Raad recueille les conseils avisés de son ami Jean-Claude Labourdette, un Français chargé de la surveillance de l'ambassade de France à Beyrouth, qui sera impliqué plus tard dans un trafic d'armes entre la France et le Liban :

Labourdette : Fais attention, parce que, s'ils peuvent te mettre des peaux de banane, ils vont te les mettre. Ils veulent savoir d'où tu viens, qui tu es, si tu es musulman, chrétien, hezbollah... Méfie-toi de ce que tu dis, fais gaffe...

Plus étonnant encore, Jean-Louis Esquivié, le gendarme de la cellule chargé de suivre l'affaire

des otages, appelle comme tout un chacun le
Dr Raad. Ses conversations avec celui-ci sont
donc fidèlement consignées par son ami et collègue Pierre-Yves Gilleron qui, en signe de
confraternité, se contente de mettre ses initiales.
Exemple : « JLE dit à Raad : maintenant il faut
être patient, se mettre en embuscade et brasser
large... »

Plus surréaliste encore : un jour que le Dr Raad
appelle au téléphone son contact Esquivié à
l'Élysée, il tombe sur Pierre-Yves Gilleron qui lui
indique donc que son collègue est absent. Mais,
docile, Gilleron retranscrira sa propre conversation avec Raad et l'intégrera au dossier « Roi » ! !
On ne badine pas avec la bureaucratie...

Dans cette affaire hautement « sensible », la
cellule ne se contente pas des écoutes. Esquivié
effectue plusieurs voyages à Beyrouth, certains
avec le Dr Raad. D'autres, plus discrets, sont
effectués en compagnie de gendarmes gravitant
autour de la cellule, en particulier Robert Montoya. Lors d'une mission ultrasecrète au Liban,
Esquivié et Montoya seraient d'ailleurs partis
avec une valise contenant un million de dollars
en espèces pour faire face à d'éventuelles
demandes des ravisseurs. Mais, ne souhaitant
pas arpenter les rues mouvementées de Beyrouth avec ce précieux chargement, ils auraient
fait escale à Malte pour confier la mallette à
l'ambassade de France. Ils seraient finalement
revenus sans les otages, mais avec la mallette...

ainsi que quelques armes (« de collection »)
ramenées en souvenir !

À l'approche des élections de mars 1986, les
événements se précipitent. Quarante-huit heures
avant le scrutin, le Président François Mitterrand envoie à Beyrouth deux nouveaux émissaires jusque-là inconnus : Pierre Mutin, proche
collaborateur d'Edgard Pisani, et Omran Adham,
un homme d'affaires syrien marié à une Libanaise naturalisée française et proche du président syrien Hafez-el-Assad. Or, péripétie surpre-
nante pour une mission aussi secrète, dès son
arrivée à Damas, Omran Adham, qui avait été
placé sur écoutes par la cellule, accuse publiquement le Dr Raad d'avoir fait « capoter » les négociations en promettant aux ravisseurs de faire
accepter toutes leurs exigences par les autorités
françaises. Adham a-t-il alors reçu des consignes
en vue de discréditer à la veille des élections le D^r
Raad, qui aurait pu agir pour le compte de l'opposition ? Certains contenus d'écoutes auraient-
ils déplu à la Présidence ?

Une chose est sûre : l'Élysée en sait long sur
Omran Adham. Au milieu des écoutes du
Dr Raad, les gendarmes de l'Élysée ont en effet
intercalé, au moment de cet incident, une fiche
détaillée consacrée au Syrien : « Cet homme
d'affaires à la double nationalité syrienne et ira-
kienne est installé en France depuis 1969, etc. »

Épilogue de cet étrange épisode : le samedi
15 mars, le Dr Raad s'apprête à quitter discrète-

ment Damas où l'a aussi envoyé Roland Dumas. Après avoir rendu compte à l'ambassade de France de sa mission, hélas infructueuse, il est censé regagner Paris, comme convenu, à bord d'un avion du GLAM. Mais l'appareil, qui doit en principe lui permettre de revenir à temps pour voter dans sa circonscription, décolle sous son nez avec pour seuls passagers Omran Adham et Pierre Mutin ! Après l'avoir écouté pendant des mois, la cellule n'a-t-elle pas voulu, ultime coup de pied de l'âne, discréditer définitivement le Dr Raad ?

Ce genre d'amabilités ne sont pas l'exclusivité des barbouzes...

VI
Le Bottin mondain de l'Élysée

Nom de la cible : Bouquet Carole.
Adresse : Av. de La Motte-Piquet, 75007 Paris.
Sans profession.
Motif de l'écoute : sécurité de personnalités de
la Défense.

C'est sans doute la demande d'écoute la plus
inattendue – et la plus chic – des archives de
l'Élysée ! Pourquoi la somptueuse comédienne
a-t-elle fait l'objet des attentions secrètes de l'Élysée durant plusieurs semaines de l'hiver 1985
sous le pseudonyme disgracieux de « Bûche » ?
La première surprise a d'ailleurs été l'actrice elle-
même qui, indignée, a immédiatement porté
plainte.

Toutes les rumeurs ont couru à propos de ce
branchement « branché » qui en a fait fantasmer
plus d'un... Le Président Mitterrand avait-il
voulu se renseigner sur cette jeune et jolie
femme ? Rien, dans le dossier, ne permet de l'affirmer. Le seul lien unissant apparemment l'ac-

trice à l'Élysée était son amitié ancienne avec le conseiller spécial Jacques Attali. La cellule se serait-elle intéressée pour quelque motif obscur à ce lien ? L'actrice écarte totalement cette hypothèse : « J'ai connu Jacques Attali lorsque j'avais une quinzaine d'années, a-t-elle expliqué au juge Valat, mais, ces dix dernières années, j'ai eu peu de relations avec lui. Nous nous sommes peut-être téléphoné une ou deux fois par an, et nous nous sommes vus encore moins souvent. »

Carole Bouquet avance en revanche plusieurs explications : « Je suis convaincue que ce n'est pas moi que l'on a cherché à écouter, mais Jean-Pierre Rassam, avec qui je vivais. » Ce petit homme trapu et à la longue chevelure s'est fait connaître en produisant dans les années 60 et 70 les films de Jean Yanne, comme *Tout le monde il est beau, tout le monde il est gentil*. Après s'être rapproché un temps de la Gaumont et de Nicolas Seydoux – il a produit *Dagobert*, avec Coluche –, il est redevenu producteur indépendant avant de décéder brutalement d'une crise cardiaque en janvier 1985. « Les raisons pour lesquelles Jean-Pierre Rassam aurait pu être écouté sont multiples » précise Carole Bouquet. Raisons commerciales : « Il était associé dans une société de production de films avec Claude Bax, lequel était en quelque sorte le bras droit de M. Riboud, PDG de Schlumberger. » Motifs politiques : « Il était également lié au président algérien Chadli, poursuit l'actrice ; tous deux s'étaient connus à l'époque où Jean-Pierre Rassam avait produit *Chronique des années de braise*. Avant d'être porté à la présidence de l'Algérie, Chadli avait habité chez Jean-Pierre Rassam, avenue Montaigne. Début 1985, ils étaient encore en rapport... Jean-Pierre Rassam avait également parmi ses relations Slimane Bouguerra. J'ai appris que Bouguerra avait lui-même été écouté... » Celui-ci, patron de la Société algérienne des pétroles, fut en effet également « branché » par la cellule, début 1986, sous le pseudonyme de « Boue », à son domicile du VIIe arrondissement de Paris. Retour à l'inévitable Jean-Edern Hallier : « Jean-Pierre était également en relation avec Jean-Edern Hallier, conclut Carole Bouquet. D'une façon générale, beaucoup de gens passaient à la maison. Jean-Pierre Rassam n'avait pas d'autres bureaux que chez nous, il passait l'essentiel de ses coups de téléphone depuis notre domicile. »

La cellule avait au demeurant bien cerné sa « cible », puisqu'elle opéra en fait deux branchements autour de Carole Bouquet (codes : « Bûche 1 » et « Bûche 2 ») : l'actrice disposait en effet de deux lignes, l'une destinée à recevoir les appels, l'autre servant à en donner.

Ces écoutes au domicile de Carole Bouquet étaient en tout cas inconnues de Matignon. Le directeur de cabinet de Laurent Fabius, Louis Schweitzer, a expliqué au juge Valat : « Je ne pense pas avoir ordonné l'écoute de Carole Bouquet, car son nom m'était connu et il aurait fallu m'apporter des éléments sérieux pour me convaincre d'autoriser son écoute . »

Officieusement, la cellule élyséenne laisse entendre que l'écoute concernait effectivement un personnage en relation avec Jean-Pierre Rassam. Mais dit-elle la vérité ?

Quoi qu'il en soit, Carole Bouquet aura été la seule star du grand écran à être personnellement « branchée » par la cellule. Quelques autres célébrités seront néanmoins « tombées » accidentellement dans les filets de l'Élysée : Claude Chabrol, Marthe Mercadier, Thierry Le Luron, Bernard Lavilliers, Topor...

En revanche, la moisson littéraire est beaucoup plus riche. La plus prestigieuse institution des belles-lettres, l'Académie française, n'échappe pas à la vigilance des gendarmes de l'Élysée. Le 29 janvier 1986, Jean-Edern Hallier fait une confidence fracassante à son frère Laurent : « Je me porte candidat à l'Académie ; je ne l'ai pas encore annoncé à l'AFP... » Grâce à cette candidature, la cellule va voir défiler bon nombre d'immortels entre ses écouteurs ! Il est vrai que l'écrivain fantasque a déjà anticipé : le mois précédent, il a posé pour *Paris Match* devant le quai Conti, mais « sans s'habiller en académicien, car ce serait mal vu », confie-t-il, ce qui ne l'empêche pas de vouloir signer dans *Match* un article :

« JEAN-EDERN HALLIER, *de l'Académie française (de l'an 2000)* ».

Parmi ses parrains en habit vert, son vieil ami Jean Dutourd, fidèle compagnon de toutes ses infortunes et dont le fils, Frédéric, sera placé sur écoutes par les gendarmes. Ainsi, quand Hallier est « censuré » par la RATP (voir chapitre deux), il lui demande de venir poser avec lui dans le métro avec Michel Déon et Philippe Sollers. « Dutourd n'a pas le temps, notent les gendarmes, et lui conseille plutôt de travailler », s'il veut entrer à l'Académie. Grâce à un appel téléphonique à Michel Droit – autre académicien –, la cellule découvre les méandres des élections sous la Coupole et les petites perfidies propres au monde des lettres :

> *Jean-Edern Hallier :* Avant-hier, j'ai déjeuné avec l'un de nos amis. C'est catastrophique si Poirot-Delpech entre à l'Académie française ! Il est plus jeune que les autres et il va prendre le contrôle de la Commission du livre. Il ne fait pour ainsi dire rien au *Monde*. Il sera tout le temps à l'Académie. Ce n'est pas un bon écrivain. C'est un type amer, aigri, pas sympathique. Dutourd m'a dit qu'il serait certainement élu...
>
> *Michel Droit :* Ce n'est pas certain du tout. Je n'ai pas de sympathie particulière pour lui... Ça peut se terminer en élection blanche...
>
> *J.-E.H. :* J'ai presque envie de faire le kamikaze et de me sacrifier pour obliger à une élection blanche...

M.D. : Je pense que tu seras élu un jour, mais je ne pense pas que tu seras élu dans une élection avec quatre partants.

J.-E.H. : Je veux absolument empêcher Poirot, parce que c'est une catastrophe pour tout le monde !

« Vivement que je sois élu ! » lance-t-il au cours d'une conversation avec un autre « habit vert », Michel Déon. Jean d'Ormesson et Jacques Laurent, deux autres « grandes épées », sont également écoutés par la cellule. Du coup, l'Académie, quai Conti, a droit à sa fiche réglementaire à l'Élysée !

Les gendarmes ont même le rare privilège d'entendre un des « grands silencieux » de ce siècle : l'écrivain d'origine roumaine Cioran, auteur de très pessimistes ouvrages comme *De l'inconvénient d'être né* et *Précis de décomposition*. Jean-Edern Hallier, toujours téméraire, tente de lui arracher une interview exceptionnelle pour *Paris Match* : « Cioran refuse, mais Hallier insiste et voudrait également lui confier un manuscrit sur la répression en démocratie, et les raisons de son silence. Ils se rencontreront demain chez Cioran, à 15 heures. »

Les fiches de l'Élysée regorgent d'ailleurs de noms d'hommes de lettres piégés au gré de leurs conversations. Un florilège de voix célèbres : l'inévitable Paul-Loup Sulitzer, Gabriel Matzneff, Raymond Abellio, Jean Baudrillard, Fran-

çois Cavanna, Catherine Clément, André Glucksmann, Roger Caillois, Robert Sabatier...

Dans un genre quelque peu différent, une
autre « VIP » fait l'objet de la sollicitude de la cellule, pour des raisons plus prosaïques, il est vrai.
Le baron Empain, célèbre depuis son enlèvement dans les années 70, avait quitté à l'époque
le groupe Schneider pour se lancer dans la vente
d'armements. C'est sans doute à ce titre qu'il a
été branché par la cellule, à l'été 1985, sous le
pseudonyme d'« Inca », au siège de sa société,
sise dans le XVIe arrondissement. Il apparaît
également dans les écoutes sous son diminutif
familier de « Wado », voire, ce qui est exceptionnel, sous le nom de « Baron Empain ».

On le voit successivement tenter de vendre des
« pièces détachées d'avion F5 » au Chili, prendre
langue avec des dirigeants jordaniens et syriens,
traiter un contrat pétrolier avec la Libye et opé-
rer des « ventes de radars » à l'Arabie Saoudite.
C'est d'ailleurs ce dernier marché qui permettra
sans ambiguïté à l'ancien président du groupe
Schneider, aujourd'hui reconverti dans l'immo-
bilier, d'authentifier ces écoutes : « Depuis mon
enlèvement, à chaque fois que je disais que j'étais
sur écoutes, on me croyait parano, a-t-il confié
au *Point*. J'en ai aujourd'hui la preuve. Je me
souviens très bien des négociations autour de la
vente de radars à l'Arabie Saoudite. Et plusieurs
personnes citées dans ces écoutes ont bien été
mes correspondants à l'époque. »

Les Oreilles du Président

Dans leur manie du fichage, les gendarmes de l'Élysée vont jusqu'à archiver les noms de personnages célèbres qui reviennent souvent dans les conversations, même s'ils sont décédés ! On trouve ainsi étrangement, au détour de certains fichiers, les noms de Louis Aragon, Pierre Mendès France et Guy Mollet... Des « chers disparus » dont certains ont dû évoquer pas mal de souvenirs à François Mitterrand.

VII

Les « écouteurs » écoutés

Comme dans tout système paranoïaque et policier, les proches du Prince n'échappent pas à la vigilance du « cabinet noir ». L'Élysée écoutait aussi l'Élysée. La plupart des membres de l'entourage de François Mitterrand ont fini par figurer un jour ou l'autre dans les petits papiers de la cellule. Le système n'épargne ni les meilleurs amis, ni même la famille du Président.

Édith Mitterrand, la femme de son frère Robert, « tombe » sur une écoute avec l'écrivain Jean-Edern Hallier. La mère de Mazarine, Anne Pingeot, est « espionnée » par le biais d'une voisine (voir chapitre deux). Des collaborateurs proches de François Mitterrand, qui travaillent parfois dans des bureaux jouxtant le sien, sont soigneusement fichés : on trouve les noms de sa secrétaire particulière, Marie-Claire Papegay, de son chef de cabinet, Jean-Claude Colliard, de Jean Glavany, de Gérard Colé, de Régis Debray et de ses deux flamboyants conseillers en communication, Jacques Séguéla et Jacques Pilhan. Sont miraculeusement épargnés Danielle Mitterrand, la famille Hanin et Jacques Attali.

En revanche, plusieurs amis de toujours comme François Dalle, ancien patron de l'Oréal, et son épouse Geneviève, n'échappent pas au zèle des hommes de Prouteau. François de Grossouvre, autre vieux complice de François Mitterrand, aura droit, lui, à un traitement spécial.

Chargé, au lendemain du 10 mai 1981, de superviser les problèmes de sécurité et de renseignement à l'Élysée, cet homme mystérieux à la barbiche bien taillée, surnommé « Belphégor » en raison de ses longues capes et de ses apparitions crépusculaires dans les couloirs du « Château », s'était cru investi des missions les plus secrètes. La mise en place de la cellule dirigée par Gilles Ménage, haut fonctionnaire plus « classique », allait contribuer à mettre peu à peu à l'écart ce personnage imprévisible. D'autant plus que Pierre Joxe, arrivé place Beauvau, le tenait lui aussi à distance des dossiers sensibles. Amer, ne conservant plus officiellement que la présidence des Chasses présidentielles, il restait néanmoins l'un des seuls confidents à pouvoir tout dire – ou presque – au Président. Plus tard, quand ce lien-là aussi se sera distendu, après avoir critiqué son entourage affairiste et le Président lui-même, François de Grossouvre se suicidera, symboliquement, dans le bureau qu'il avait conservé à l'Élysée.

N'osant pas mettre directement sur écoutes cet intime du Président qui œuvrait lui aussi dans le monde trouble du renseignement, la cellule ne rate pas les rares occasions de le mettre en fiche. Elle n'hésite pas, par exemple, à « brancher » son ancien garde du corps, Gilles Kaelhin (sous le « pseudo » de « Kilo »), un inspecteur des Renseignements généraux qui fera beaucoup parler de lui plus tard. D'autant que Grossouvre se fait un malin plaisir de recevoir certains détracteurs de François Mitterrand : Jean Montaldo, le capitaine Barril, Georges Marion... Ainsi la surveillance de ce dernier, journaliste au *Canard enchaîné*, permet-elle de « repérer » Grossouvre. Le clignotant s'allume le 31 janvier 1986 à 16 heures 01 : « François d'Alençon, collaborateur de François de Grossouvre à l'Élysée, aurait aimé parler à Marion. Marion pourra l'appeler à son [château de l'Allier] aux heures des repas », notent les gendarmes. Nouvel appel à 21 heures 02 : « Grossouvre demande à être appelé avant 22 heures 30. » Finalement, le lendemain matin, les deux hommes se joignent :

Grossouvre : J'aurais voulu vous voir, si vous aviez un moment. J'aurais voulu vous parler du camarade Beau *[gendarme mêlé à l'affaire des Irlandais]* et d'autre chose. Maintenant que ne je suis plus en fonctions, ça m'est plus facile de vous parler. Est-ce que vous auriez un moment, lundi ?

Marion : Oui, lundi, ça irait très bien...

G. : Ça vous ennuie de passer chez moi quai Branly ?

M. : Non, je prends de quoi écrire ?

G. : Oui, vous êtes gentil, vous prenez. Quai Branly, c'est un immeuble de la Présidence. J'y ai encore un machin de fonction pendant quelque temps. Il y a un poste de garde, on vous mènera jusqu'à moi à 18 heures...

On trouve encore : « Marion a pris rendez-vous avec de Grossouvre le mercredi 19.02.1986 à 11 heures 30 au quai Branly. »

Le lieu de ce rendez-vous a dû faire sursauter les gendarmes de la cellule : c'est en effet à cette adresse qu'habitent l'amie et la fille du Président, Mazarine ! Mais Grossouvre aime ce genre de provocations : recevoir les ennemis déclarés de François Mitterrand au-dessus de l'appartement privé de ce dernier ! Il ira même un jour jusqu'à inviter directement au palais de l'Élysée Paul Barril, pourtant *persona non grata* depuis son départ de la cellule. Les deux hommes étaient restés en bons termes et se livraient ensemble de temps à autre à des exercices de tir. Au lendemain de cette visite, François Mitterrand, furieux, agite une note sous le nez de Grossouvre, l'accusant de recevoir ses ennemis à l'Élysée. « Belphégor » réplique qu'il reçoit qui bon lui semble, et arrache la feuille des mains du Président : en fait, il s'agit ni plus ni moins d'une note rédigée par Gilles Ménage à partir du *listing* des visiteurs extérieurs de l'Élysée...

Il est vrai que, dès 1983 et l'« affaire des Irlandais », les rapports entre le capitaine Barril et la cellule ont revêtu un tour de plus en plus conflictuel. La révélation des contacts pris entre Barril et des indépendantistes corses ou des membres d'Action directe a suscité un tollé dans l'opinion. Du coup, après un accident, le capitaine est mis en disponibilité. Il s'emploie au service d'émirs du Golfe, puis crée enfin sa propre société de sécurité, Secrets. Mais l'imprévisible Barril, qui jouit d'une certaine aura médiatique, dont le carnet d'adresses est bien fourni et qui sait tant de choses, inquiète ses anciens collègues. D'autant qu'ils apprennent qu'il vient de terminer un livre, *Missions très spéciales,* qui deviendra un best-seller et dont il s'apprêterait à tirer un film. Inquiets, suivant ses moindres faits et gestes, les hommes de Christian Prouteau mettent sur écoutes un certain nombre de ses proches.
Barril, qui s'est constitué partie civile, par l'intermédiaire de ses avocats Alex Ursulet et Hélène Clamagirand, dans le dossier des « écoutes », en dressera lui-même l'inventaire devant le juge Valat : « J'ai relevé, dans les documents que vous avez reçus, qu'étaient écoutés un certain nombre de gens avec qui j'étais en relation. Il en va ainsi de la Société française d'intervention dirigée par M. de Vautrey, de même que Gilbert Le Cavelier,

Joël Galipapa, Pierre Novat, René Dulac, Walid Korateim, Pierre Massée. J'étais en relation d'affaires avec ces gens-là. Par exemple, avec Pierre Novat, nous avions monté une société de location de voitures de sécurité. Je m'étais étonné, à l'époque, que les projets de contrats que nous avions n'aboutissent jamais. Je commence à comprendre pourquoi. »

Une chose est sûre : comme d'habitude, Mᵉ Novat, à l'époque son avocat, a été mis sur écoutes, sous le pseudonyme de « Notre », au mépris des droits les plus élémentaires de la défense. Après avoir noté dans ses moindres détails l'identité et les coordonnées de l'amie de l'avocat, les gendarmes s'intéressent surtout aux conversations Novat/Barril. Celui-ci, prudent, téléphone d'une cabine publique, aussitôt identifiée par l'Élysée : « Cabine téléphonique Germinal, Champigny. » Dès lors, les gendarmes de la cellule suivent en direct le montage de la production d'un film (tiré du livre de Barril) qui les met personnellement en scène ! Ce film devrait être tourné par le réalisateur José Pinheiro, et les dialogues écrits par Simon Michael. Résumé de l'intrigue par Pierre Novat au téléphone :

« L'histoire est très simple : on voit arriver à l'Élysée un groupe qui s'appelle le GIGN, avec Prouteau et Barril. À la moitié du film intervient la volonté du Président d'utiliser à des fins personnelles le thème de l'insécurité (...). Barril, d'une manière ou d'une autre, est au courant d'un attentat contre le Président. Il ne sait pas que c'est le Président qui organise lui-même ce coup ; donc Barril déjoue cette opération. Or, c'était une opération politique pour permettre au Président de la République de retrouver plus de voix. C'est une histoire totalement linéaire, avec trois personnages superbes : l'homme d'action, l'homme politique et la femme d'action... »

Un scénario qui n'est pas sans rappeler la tortueuse affaire de l'Observatoire...

Catherine Deneuve est pressentie par le producteur pour interpréter une journaliste. Christophe Lambert et Yves Régnier sont cités pour les rôles masculins. « Yves Régnier est venu voir Paul pour le convaincre de tourner des épisodes télé », explique Novat. Et, le 5 février 1986 : « Le rendez-vous de Paul avec Christophe Lambert aura lieu dimanche chez Novat. »

Un rôle est même réservé au chef des « écouteurs ». « Tu peux pas mettre un homme comme Prouteau, qui est patron en titre de l'affaire, dans une scène sans qu'il dise quelques mots, explique le dialoguiste. De plus, il faut l'opposer à la décontraction de Barril. »

Finalement, le film ne se fera pas, sans doute au grand soulagement de Christian Prouteau...

Outre ses projets cinématographiques, les membres de la cellule s'intéressent aussi de près aux multiples contacts internationaux du capitaine. C'est ainsi qu'ils piègent dans leurs écouteurs Etienne Mezo, un homme d'affaires qui vit en Suisse, ami du prince Nawaf Bin Abdulaziz, frère du roi d'Arabie Saoudite, et également proche de Rafik Hariri, futur président du Liban. Ce courtier international avait proposé à Barril en 1983 de monter un « GIGN » en Arabie Saoudite. Deux ans plus tard, le projet a été bloqué par l'Elysée, en particulier par François de Grossouvre. Nouvelle tentative de Mezo, en relation avec Rajiv Gandhi, qui propose à Barril de constituer un groupe de protection pour le célèbre temple d'Amritsar. L'homme d'affaires rencontre même Roland Dumas au Quai d'Orsay en septembre 1985. Mais le ministre se montre hostile au projet, « compte tenu de la présence de Paul Barril dedans », expliquera Etienne Mezo au juge Valat avant de préciser étrangement : « Peu de temps après, ma Rolls a fait l'objet d'un incendie en bas de chez moi ». Le projet indien n'aboutira pas...

Grâce à ces diverses écoutes, la cellule a réussi, un temps, à localiser Barril. Il est vrai que le capitaine joue à cache-cache et disparaît régulièrement. Les hommes de Prouteau redoutent plus que tout ces silences prolongés qui pourraient annoncer un nouveau « coup fourré », et passent leur temps à courir après lui. Ce qui donne lieu à d'étranges comptes rendus. Ainsi, au détour d'une écoute, Joël Galipapa, bras droit de Pasqua, qui connaît aussi Barril : « J'ai un message de Paul sur mon répondeur, mais je n'arrive pas à le joindre » ; puis : « Paul demande à Joël un rendez-vous téléphonique chez la personne qu'il connaît. » Il s'agit vraisemblablement de Pierre Massée, ancien gendarme et ami de Barril, lequel sera naturellement placé à son tour sur écoutes sous le pseudonyme de « Mas ». À son nom, le fichier *TPH* précise : « Est un ami de Barril avec qui il s'entraîne dans les sports de combat. Ils communiquent à l'aide d'un appareil spécial. Massée sert de filtre pour les appels de Paul. »

Malgré cela, leurs messages restent codés. « Paul se fait appeler Bernard », décryptent les gendarmes de la cellule. Le 9 novembre 1985, on peut aussi entendre sur le répondeur de Massée : « Paul se présente comme le professeur de karaté et lui demande de venir samedi à 18 heures 30 à la piscine. » Le lendemain, il appelle pour confirmer qu'il « sera ce soir à 19 heures au même métro qu'hier ». Un beau jour, surprise, ils apprennent par hasard que l'insaisissable Paul Barril est en voyage « d'affaires » avec son ami Pierre Massée ! « La femme de Massée, Patricia, informe Angélique, femme de Paul, qu'elle a eu un coup de fil de son mari qui se trouve avec Paul au Liban ! » Mais quand reviendront-ils ? Les deux femmes, prudentes, refusent obstinément de le dire au téléphone... Un peu plus tard, Barril et Massée sont localisés à Alger, avant de rentrer à Paris...

Les allées et venues du capitaine Barril, mais surtout les contacts qu'il entretient, *via* certaines relations, avec des responsables de la gendarmerie, ne laissent pas d'inquiéter Christian Prouteau. Ainsi, le 17 novembre 1985, Pierre Massée appelle un certain Jean-Jacques Ruiz au « quartier Delpal à Versailles ». Pierre-Yves Gilleron, l'homme de la cellule qui traite cette écoute, note que « Ruiz, du GIGN, est en relations étroites avec Massée. » Et il ajoute cette note technique à usage interne : « Le préfet Prouteau a retenu pardevers lui deux "papiers" sur ce même sujet. Il n'a pas été possible jusqu'à présent d'en prendre connaissance (27.11.1985). »

Une mention bien compromettante pour Christian Prouteau : elle prouve, s'il en était besoin, que le patron de la cellule avait bien un accès direct à toutes les « productions », et la haute main sur leur exploitation...

VIII

Le juge tire les
grandes oreilles de l'État

« Cette construction n'a jamais été montée (changement de Premier ministre). »

Quel aveu ! Cette mention laconique, figurant sur le listing du 6 mars 1986, indique qu'un branchement n'a pu être effectué en raison de l'arrivée de Jacques Chirac à Matignon. Elle sonne le glas de la formidable machine à écouter de l'Élysée. Le centre d'écoutes des Invalides étant placé sous la tutelle de Matignon, il devenait impossible aux hommes de Christian Prouteau, à cette date, de continuer à pratiquer en toute illégalité leur espionnage. On imagine les craintes de l'Élysée de voir la droite révéler à l'opinion que la gauche avait jour après jour fiché le Tout-Paris depuis trois ans...

Le scandale a d'ailleurs bien failli éclater. Le chef de cabinet de Jacques Chirac, Michel Roussin, ex-gendarme, ancien bras droit d'Alexandre de Marenches à la tête des services secrets français, a eu rapidement vent de l'affaire, peut-être même avant mars 1986. Dès son installation à Matignon où il est tout particulièrement chargé des questions de sécurité, ce spécialiste a eu en main les preuves matérielles des pratiques illégales de la cellule. Abasourdi par l'ampleur de l'exploitation informatique de ces « écoutes », il s'en ouvre alors à Maurice Ulrich, directeur de cabinet de Jacques Chirac. Que faire ? Rendre publics ces abus en rédigeant un livre blanc, voire en « organisant » une fuite dans la presse, aurait provoqué un séisme politique dont les effets se seraient sans doute fait sentir jusqu'aux élections présidentielles de 1988. Venant après l'affaire Greenpeace, la preuve de telles atteintes aux libertés aurait été accablante pour une gauche qui ne cessait de se réclamer des droits de l'homme.

La réponse tombe finalement d'en haut : pas question d'exploiter cette affaire. En cette période des débuts de la cohabitation, l'équipe de Jacques Chirac ne veut pas jeter de l'huile sur le feu. À moins que la droite n'ait craint que l'Élysée ne ressorte à son tour quelques vieilles histoires enfouies ? Il est vrai que le pouvoir n'aime point trop remuer ces affaires troubles aux conséquences sont parfois dévastatrices. En 1965, déjà, à la veille des présidentielles, le général de Gaulle avait refusé à son ministre de l'Intérieur, Roger Frey, d'exploiter un cliché montrant, à Vichy, le maréchal Pétain serrant la main

de François Mitterrand. Silence, affaire d'État...
Mais François Mitterrand aurait-il été aussi facilement réélu en 1988 si la France avait appris que l'on « écoutait » à tout va dans les sous-sols de l'Élysée ?

Pourtant, après mars 1986, la cellule, qui ne disposait plus de ses vingt lignes au GIC, n'a pas totalement renoncé à satisfaire sa curiosité. Les écoutes, si commodes et si instructives, sont aussi une sorte de drogue. Difficile de s'en passer du jour au lendemain. Privés des instruments d'État, les super-gendarmes vont « faire du bricolage » : pose d'écoutes sauvages par d'anciens gendarmes sûrs, et détournement d'écoutes judiciaires grâce à un juge ami.

Mais ces méthodes artisanales sont évidemment moins discrètes et peuvent mal tourner. À l'aube du 23 décembre 1987, un locataire d'un immeuble de la rue de La Vacquerie, dans le XIᵉ arrondissement de Paris, entend trois hommes chuchoter dans l'escalier. Pendant la journée, la gardienne avait déjà été intriguée par le comportement étrange de trois individus vêtus de blousons et qui faisaient le pied de grue devant l'immeuble. Croyant avoir affaire à des cambrioleurs, le locataire appelle Police-Secours. Les gardiens de la paix cueillent alors les trois visiteurs, dont l'un est enfermé dans le placard du rez-de-chaussée où passent les fils du téléphone de l'immeuble. À ses pieds, un matériel sans équivoque : une mallette noire contenant la panoplie du parfait « plombier » (combiné téléphonique permettant un branchement direct sur une ligne, système Vox de télécommande qui se déclenche automatiquement au son d'une voix, petit magnétophone de poche, et enfin « testeur » Metex destiné aux mesures de tensions...).

Explications embarrassées des trois hommes : ils se livrent, disent-ils, à une recherche d'identité sur un client qu'ils ne peuvent nommer... On découvre qu'il s'agit en fait de deux gendarmes à la retraite, Robert Montoya et Fabien Caldironi, accompagnés d'un technicien, Alain Carhaut. L'affaire s'éclaire davantage lorsque l'on découvre que le seul locataire qui n'appartient pas au corps médical dans cet immeuble dépendant de l'Assistance publique, est un huissier de l'Elysée, Yves Lutbert. Détaché depuis novembre 1981 du ministère de la Culture, il officie au Conseil supérieur de la Magistrature (CSM), quai Branly, qui dépend de la Présidence de la République et où se décident les principales nominations de magistrats.

Les trois « plombiers » sont remis en liberté quarante-huit heures plus tard. On souhaite éviter, pour cause de cohabitation, de déclencher une véritable affaire d'État. En effet, les gendarmes Caldironi et Montoya sont très liés aux hommes de la cellule élyséenne. Ils ont été respectivement chef et sous-chef de la brigade de recherches de Bastia. Or, fin 1984, ils ont interpellé un trafiquant de drogue libanais, Émile Tabet, qui promettait, en échange de la mansuétude de la justice, de les mener jusqu'aux ravisseurs des otages français de Beyrouth. Tabet a été discrètement « exfiltré » de Corse après s'être « évadé » sur le chemin de l'hôpital de Bastia. Il a été installé dans une villa que les deux compères louaient à Rosny-sous-Bois. Montoya, déjà membre assidu du club de tir du GIGN et ami de Christian Prouteau, convainquit alors la cellule qu'il était sur un coup fumant. Il partit d'ailleurs avec certains membres de la cellule à Larnaca et à Beyrouth (voir chapitre cinq). Sans succès. En revanche, Tabet, lui, disparut mystérieusement. Quant à Montoya et à son acolyte, ils seront écroués quelques années plus tard, soupçonnés d'avoir détourné des saisies de drogue...

Entre temps, Robert Montoya reste en contact étroit avec la cellule. Il quitte précocement la gendarmerie pour rejoindre une société de sécurité privée dirigée par un ancien membre de la cellule et au sein de laquelle il crée un département « écoutes ». Il y travaille pour son propre compte ou pour ses amis du « Château ». Autre détail troublant : après les révélations parues dans la presse, l'enquête, menée à la fois par le juge Gilles Boulouque et le commissaire Marcel Leclerc, confirme ses liens avec l'Elysée. La voiture utilisée par les « plombiers » pour se rendre rue de La Vacquerie, une Ford Granada immatriculée 424 CJK 75, appartiendrait à un certain

Xavier Mueller... qui n'a jamais existé ! En réalité, ce véhicule a été vendu en novembre 1984 par le sous-préfet Aymée Dubos, épouse de Jean-François Dubos, lui-même bras droit de Charles Hernu et très proche de l'Elysée, à un prête-nom qui abrite en fait la cellule. Le passeport présenté par l'« acheteur » est un vrai-faux officiel. La Ford a été payée en liquide sur les fonds secrets de l'Elysée, et Pierre-Yves Gilleron est intervenu auprès de la préfecture de police pour faire établir une vraie-fausse carte grise au nom de Mueller. Un vrai-faux passeport a été fourni par la DGSE. Cette voiture est utilisée pour les missions sensibles ; elle est entretenue par un garde du corps de Christian Prouteau.

Mais pourquoi placer une écoute sauvage sur un modeste huissier du Conseil supérieur de la Magistrature ? Il appert que depuis quelques semaines, des documents confidentiels « fuitent » de cette institution très protégée. Il s'agit de correspondances entre François Mitterrand, président en titre du CSM, et Danièle Burguburu, secrétaire général. Des photocopies de ces documents récapitulant des propositions de nominations, ont été adressées à plusieurs membres du CSM ainsi qu'aux hauts magistrats concernés. Ils comportent, semble-t-il, des annotations très orientées sur les opinions politiques des magistrats, de la main de Danièle Burguburu et parfois même du Président en personne. Bref, des notes qui remettent en question le sacro-

saint principe de l'indépendance de la magistrature. Une véritable bombe politique, six mois
avant les élections présidentielles de 1988.

L'Elysée a tout d'abord mené une enquête offi-
cieuse sous la houlette – ça ne s'invente pas ! –
du lieutenant-colonel Eechout (prononcez :
« écoute »). Les soupçons se sont portés sur
l'huissier Yves Lutbert, en raison de sombres et
mesquines jalousies de bureau. D'où la tentative
des gendarmes amis de la cellule de poser une
« bretelle » à son domicile.

Lutbert a porté plainte et rendu visite au directeur de cabinet du garde des Sceaux de l'époque,
Albin Chalandon. Mais il mourra en 1989 du
sida. Les gendarmes, eux, seront condamnés, en
mai 1992, pour « tentative d'atteinte à l'intimité
de la vie privée » : huit mois avec sursis pour
Montoya, six mois avec sursis pour Fabien Caldironi et Alain Carhaut. Le procès évitera bien
soigneusement de remonter jusqu'aux comman-
ditaires. Mais l'ombre de la cellule a plané sur
toute cette affaire des « plombiers de l'Élysée »...

Celle-ci aura par ailleurs permis de découvrir
une autre méthode – moins voyante – utilisée par
la cellule pour continuer ses écoutes au-delà de
mars 1986. Au moment de leur interpellation, les
plombiers avaient en effet dans leur poche la
photocopie d'une commission rogatoire accor-
dée par un juge pour des investigations en région
parisienne. Intrigué, le ministère de la Justice
diligente une enquête confiée à l'Inspection

générale des services judiciaires. Elle révélera que, grâce à ce système de commissions rogatoires « très souples », délivrées par un juge bastiais (proche du pouvoir socialiste), les gendarmes effectuaient un nombre considérable d'allers-retours entre la Corse et le continent, entraînant des frais de justice élevés. Ces commissions rogatoires auraient permis à ces gendarmes proches de l'Elysée d'utiliser le prétexte d'enquêtes diverses pour réaliser des écoutes. Le rapport de l'Inspection générale des services judiciaires entraînera de très discrètes sanctions et le retour sur le continent du magistrat en octobre 1987.

Un juge entre en scène

Il faudra attendre 1993 pour que l'affaire des écoutes de l'Élysée éclate au grand jour et que des preuves soient produites. Encore la première révélation paraît-elle dans un organe de presse relativement confidentiel : le 19 novembre 1992, l'hebdomadaire d'extrême droite *National Hebdo* publie une note manuscrite à en-tête de la Présidence de la République de Gilles Ménage à Christian Prouteau. Datée du 28 mars 1983, cette note assez stupéfiante, qui évoque la « campagne de presse » autour des « Irlandais de Vincennes », propose de « s'occuper sérieusement » de l'avocat des Irlandais, Mᵉ Antoine Comte (voir chapitre dix). En marge de la note, face au nom de l'avocat, on trouve une étrange mention, visiblement de la main de Christian Prouteau : « 46 ? ! ! ! » Ce chiffre est un code administratif indiquant généralement une mise sur écoutes.

Le 19 février 1993, Me Antoine Comte porte plainte auprès du doyen des juges d'instruction de Paris. L'avocat situe sa plainte à trois niveaux : l'« atteinte grave aux principes du secret professionnel de nature à empêcher l'exercice normal des droits de la défense » ; l'« atteinte à la liberté individuelle de communication garantie par la Déclaration des droits de l'homme » ; enfin, la dénonciation de la « protection par tous les moyens de la réputation personnelle des membres du cabinet de la Présidence de la République ».

Mais la publication de cette note par *National Hebdo*, reprise par *Le Monde*, n'était qu'un coup de semonce. Alors que le procureur de Paris examine avec attention la plainte de Me Comte, à peine deux semaines plus tard, le 4 mars 1993, en pleine campagne électorale, *Libération* frappe un grand coup en une : le quotidien révèle que le journaliste Edwy Plenel a lui aussi été écouté en 1985-86 !

Le 12 mars, Alain Léauthier et Patricia Tourancheau, les deux journalistes de *Libération*, précisent qu'ils détiennent un listing de 114 personnes écoutées en toute illégalité par l'Élysée, et livrent les noms de Froment-Meurice, Carole Bouquet, Jean-Edern Hallier... Bref, le pot aux roses est découvert. *Le Point* et *Le Nouvel Observateur* ajoutent bientôt quelques autres noms (Georges Marion, le baron Empain, Mᵉ Pierre Novat...). *Le Monde*, directement concerné, avec deux de ses journalistes, Edwy Plenel et Georges Marion, monte à son tour au créneau.

Pourtant, noyée par la campagne électorale, l'affaire ne connaît pas le retentissement qu'elle aurait mérité dans toute démocratie soucieuse de la préservation des libertés. Les hommes politiques ne se bousculent d'ailleurs pas pour crier leur indignation. Curieux pays que la France où une violation délibérée et systématique des droits les plus élémentaires ne suscite aucun débat national ! Il est vrai que, comme en 1986, en ce mois de mars 1993, ironie de l'histoire, on entame une seconde cohabitation avec Édouard Balladur à Matignon et François Mitterrand toujours à l'Élysée, flanqué de son fidèle Christian Prouteau...

Que faire de la plainte de Mᵉ Comte ? Le 19 mars 1993, quelques jours seulement après la nomination d'Édouard Balladur, le juge parisien Jean-Paul Valat est chargé du dossier. Il s'agit d'une plainte contre « X ». Sa mission est donc de mettre des noms sur ce « X ». Ce jeune magistrat courtois, spécialisé dans les délits de presse, va dès lors se battre avec compétence et ténacité contre une formidable machine d'État qui s'ingéniera à lui opposer tous les obstacles possibles. Pourtant, il avancera...

Au départ, son dossier est presque vide : il ne comporte en tout et pour tout que la photocopie de l'article paru dans *National Hebdo* ! Il lui faut donc entendre à la fois les victimes – qui commencent à porter plainte – et les journalistes qui ont publié les premiers comptes rendus d'écoutes. Grâce à eux, ces précieux documents vont enfin acquérir une existence officielle. En tête, Edwy Plenel, qui a pour particularité d'être à la fois journaliste et victime et dont la plainte remonte au 8 mars. Il remet au juge un long mémoire qui débute ainsi :

« Mercredi 3 mars 1993, peu après 16 heures, j'ai pris connaissance, dans les locaux du quotidien *Libération*, de documents se présentant sous la forme de dix-huit pages de comptes rendus d'écoutes téléphoniques sur lesquelles étaient apposés des tampons "source secrète" et des doubles barres inclinées. Après les avoir lues attentivement, j'ai authentifié leur contenu. Toutes les conversations qui y sont résumées ou retranscrites correspondent fidèlement à mes activités de l'époque (décembre 1985-mars 1986). Dès cet instant, ma conviction fut faite qu'il s'agissait de synthèses informatiques d'écoutes administratives pratiquées sur la ligne de mon domicile par la cellule antiterroriste de l'Élysée. »

Mais cette démonstration ne suffit pas au magistrat. Il va donc recueillir les témoignages d'Alain Leauthier, de *Libération*, d'Hervé Gatte-

gno, alors au *Nouvel Observateur*, d'Hervé Brusini, d'*Antenne 2*, et de l'un des auteurs de ce
livre. Ce sont eux qui lui livrent certains comptes
rendus d'écoutes qu'ils ont pu glaner ici ou là.
Des victimes ayant porté plainte, comme Joël
Galipapa, François Froment-Meurice ou Paul
Barril, complètent parfois cette collection.

Muni de cette maigre collecte, le juge Valat
décide d'entrer dans le vif du sujet. Premier sur
la liste : Paul Barril. Le magistrat a en effet au
moins trois bonnes raisons d'entendre le capitaine : c'est un ancien de la cellule qui a ordonné
au moins deux branchements ; il a lui-même été
écouté par l'Élysée ; enfin, il est soupçonné par
tout Paris d'être à l'origine des fuites qui alimen-
tent la presse !

Face au juge, ce 3 décembre 1993, Barril,
après avoir retracé l'historique de la cellule,
explique sans détours :

« La cellule avait pour objet d'obtenir et de
centraliser des renseignements. Pour ce faire,
nous avons pratiqué des écoutes téléphoniques
qui ont été effectuées sur le quota du ministère
de la Défense, puis, avec quelques réticences, sur
le quota du ministère de l'Intérieur. Ces écoutes
étaient réalisées au GIC, et, du temps où j'étais à
la cellule, nous avions une vingtaine d'écoutes
qui tournaient. Au début, nous recevions du GIC
la transcription intégrale des conversations sur
pelure rose. L'expérience a montré très rapidement qu'il fallait faire des synthèses des rensei-

gnements obtenus. Le lieutenant-colonel Jean-Louis Esquivié, camarade de promotion de Prouteau, s'est chargé de la création d'un système informatique. Nous avons acheté des ordinateurs IBM. »

Qui dirigeait ces opérations ? Barril, qui a le sentiment d'avoir été lâché par le directeur adjoint de cabinet de François Mitterrand, n'hésite pas à répondre : « Gilles Ménage s'est montré rapidement intéressé par ce que faisait la cellule, et il en est très rapidement devenu le leader. Il était très curieux des écoutes, et, avant même mon départ en mai 1983, j'ai senti une espèce de dérive. Les renseignements que l'on nous demandait de rechercher ne concernaient pas forcément que le terrorisme. »

Question : « Quand vous faisiez une demande d'écoutes, à qui la remettiez-vous ? »

Réponse : « C'est Gilles Ménage qui coordonnait tout et qui s'intéressait à tout. C'est donc à lui que nous remettions les demandes d'écoutes. »

Du coup, trois semaines plus tard, le juge Valat convoque Gilles Ménage, devenu depuis lors PDG d'EDF. Sur les principes, l'ancien directeur de cabinet de François Mitterrand reste ferme : « Le Premier ministre, Pierre Mauroy, avait dit à l'époque, par doctrine, qu'il ne pouvait pas y avoir d'écoutes de journalistes, d'avocats ou d'hommes politiques. À ma connaissance, cette doctrine a toujours été respectée. »

Le juge en vient ensuite au chiffre fatidique inscrit par Christian Prouteau sur la note : « 46 ». À sa grande surprise, Gilles Ménage, cette fois, confirme : « Dans le jargon des policiers, il s'agit d'une écoute téléphonique. » Mᵉ Comte aurait-il donc été écouté par la cellule ? « À ma connaissance, non », répond-il bizarrement.

Comment interpréter alors ce « 46 » ? « Est-ce que cela ne pourrait pas signifier, insiste le juge : "Il y a déjà une écoute, que voulez-vous de plus ?" » Là, l'ancien directeur adjoint de cabinet de François Mitterrand se défausse : « Peut-être Christian Prouteau s'est-il demandé si [ma note] signifiait qu'il fallait poser une écoute, mais, en tout état de cause, lui seul pourrait répondre à cette question. »

Le magistrat revient à la charge : « Est-ce que, d'une façon plus générale, la cellule procédait à des écoutes ? »

Réponse : « Elle n'aurait pas eu le pouvoir de les réaliser elle-même, mais seulement de les demander. »

« En a-t-elle demandé ? », enchaîne logiquement le juge, mettant ainsi son interlocuteur au pied du mur.

Gilles Ménage, qui a informé quelques jours auparavant le gouvernement de son intention, sort alors l'arme fatale : « J'estime être lié par le secret-défense et ne pas pouvoir vous répondre, en l'état, tant que je n'aurai pas été délié de ce secret par le gouvernement et plus précisément, en l'espèce, par le Premier ministre. »

Sans hésiter, le juge Valat le prend au mot. Il sait que le secret-défense est mis à toutes les sauces : affaire du « vrai-faux » passeport d'Yves Chalier, affaire Greenpeace, fonds secrets... Il sait aussi que si tous les gendarmes de la cellule se réfugient derrière ce secret-défense, son instruction risque de marquer le pas. Très discrètement, il va donc frapper à Matignon.

Le 24 janvier 1994, il écrit à Édouard Balladur : « J'ai l'honneur de vous demander de bien vouloir m'indiquer si le refus opposé par M. Gilles Ménage vous apparaît légitime, étant observé qu'il n'est pas demandé à M. Gilles Ménage de produire des documents ayant pu être classés, mais seulement de déposer comme témoin, et qu'il ne semble pas appartenir – ou avoir appartenu – à un service dont l'organisation et le fonctionnement sont couverts par le secret-défense... »

Le juge devra attendre près d'un mois avant de recevoir cette très prudente réponse d'Édouard Balladur : « Il ne m'apparaît pas possible de vous apporter les éclaircissements souhaités. En effet, s'il est de ma responsabilité de définir les critères et les modalités de la protection des informations "très secret-défense", et, "secret-défense", (...) je ne puis que constater que le service considéré [la cellule] n'a jamais été placé sous l'autorité du Premier ministre. (...) D'autre part,

M. Gilles Ménage a été entendu par vos soins sur des faits qui auraient été commis alors que, d'aucune manière, ce fonctionnaire ne relevait du Premier ministre. »

Autrement dit, si l'on en croit cette dialectique énarcho-administrative, ni la cellule, ni Ménage n'ont jamais été habilités au « secret-défense » par Matignon. Mais, dans ces conditions, pourquoi ne pas lever un « secret-défense » qui n'a jamais existé ? C'est mal connaître la subtilité des rouages du pouvoir, surtout en période de cohabitation :

« Toutefois, conclut en effet le Premier ministre, je vous confirme que les questions relatives aux procédures – personnels et missions du GIC – dont [Gilles Ménage] aurait été appelé à connaître restent couvertes par le "secret-défense". Je vous prie d'agréer, Monsieur le Juge, l'expression de mes pensées les meilleures. »

Traduction : tout ce qui touche aux écoutes administratives est secret et doit surtout le rester.

Un nouvel échange de correspondance entre le juge et Matignon, concernant cette fois Christian Prouteau, qui a tenté lui aussi de se retrancher derrière le « secret-défense », aboutit rigoureusement aux mêmes conclusions.

Puis, comme ses camarades, le commissaire Gilleron, ancien de la DST, entendu le 28 septembre 1994, dégainera le sempiternel « secret-défense » en se servant du ministère de l'Intérieur comme d'un paravent. Ce qui sera l'occasion d'une savoureuse passe d'armes avec le juge Valat :

> *Le commissaire :* Tant que je serai lié par ce secret-défense, je ne pourrai pas répondre à vos questions concernant la cellule.
> *Le juge :* À ma connaissance, l'activité de la cellule n'était pas couverte par le secret-défense. Faisons un peu de droit : pensez-vous que le secret-défense puisse être opposé à la justice lorsqu'elle cherche à déterminer si un crime ou un délit a été commis ?
> *C. :* Je n'ai pas dit que je ne répondrais pas. Mais tant que le ministre de l'Intérieur ne m'a pas délié du secret-défense, je ne peux pas vous répondre.
> *J. :* Pensez-vous que dans un système qui garantit la séparation des pouvoirs, il soit satisfaisant que ce soit le pouvoir exécutif qui détermine ce que la justice peut ou ne peut pas savoir ?
> *C. :* ... Je ne veux pas porter de jugement de valeur...

Du coup, le juge Valat prend sa plus belle plume et demande au ministre de l'Intérieur, Charles Pasqua, de « bien vouloir lui indiquer si les activités exercées par Pierre-Yves Gilleron entre octobre 1982 et octobre 1987, alors qu'il était à la disposition de la Présidence de la République, étaient effectivement couvertes par le secret-défense. En cas de réponse positive, je vous demande de bien vouloir lever le secret-défense et autoriser Pierre-Yves Gilleron à répondre à mes questions. »

La réponse du ministre, orfèvre en matière de « secret-défense », n'a pas dû surprendre le magistrat, habitué désormais à l'omniprudence de l'État :

« Si je puis vous confirmer que M. Gilleron a bénéficié d'une habilitation générale dès son affectation à la DST, le 8 août 1978, jusqu'à sa mise en disponibilité, le 5 octobre 1987, répond Charles Pasqua le 4 novembre, je ne suis par contre pas en mesure de me prononcer sur la possibilité de lever ce secret-défense, compte tenu du fait que le service affecté à l'intéressé ne relevait pas de l'autorité du ministre de l'Intérieur. Il ne pouvait donc exercer aucun contrôle et porter la moindre appréciation sur les activités auxquelles se livrait ce fonctionnaire. »

Bref, même réponse qu'Édouard Balladur, mais en style Pasqua : « Circulez, y a rien à voir ! »

C'est presque une tradition républicaine en France. L'arrivée à l'Élysée de Jacques Chirac en 1995 n'y changera rien : le général Charroy, tout-puissant patron du GIC, interrogé en juillet 1995 par le juge, se réfugiera à son tour derrière le « secret-défense », précisant lui aussi qu'il a au préalable fait confirmer cette possibilité par le Premier ministre. Le juge Valat, têtu, demande donc par écrit à Alain Juppé de relever le général du « secret-défense ». Refus poli du Premier ministre par courrier du 22 août : tout ce qui concerne le GIC est soumis à un secret total.

Dès que l'on touche aux écoutes, les portes du pouvoir se ferment. Ce n'est sans doute pas un hasard s'il a fallu attendre 1991 pour qu'une loi réglementant les écoutes administratives ait vu enfin le jour.

C'est cette même cette loi qui a créé un organisme de contrôle, la Commission nationale de contrôle des interceptions de sécurité (CNIS), présidée par le conseiller d'État Paul Bouchet. Plein d'espoir, le juge Valat va se tourner vers cet organisme, censé sanctionner les abus ou les utilisations illégales d'écoutes. L'espoir est d'autant plus permis que le Premier ministre de l'époque, Pierre Bérégovoy, avait commandé un rapport sur les écoutes élyséennes à Paul Bouchet le jour même des premières révélations parues dans *Libération*. « Nous voulons éviter l'enterrement du dossier », déclara peu après M. Bouchet dans une interview au *Monde*.

Hélas, par une malédiction frappant tout ce qui touche aux écoutes téléphoniques, la partie la plus intéressante de ce rapport sera classée... secret-défense ! Le juge Valat n'y aura donc jamais accès, en dépit de ses demandes réitérées – y compris une nouvelle fois au Premier ministre de l'époque, Édouard Balladur.

Entendu à plusieurs reprises, puis confronté au journaliste Edwy Plenel, le conseiller d'État Paul Bouchet se drapera alors dans le délicieux silence du secret-défense.

Le haut fonctionnaire manifestera plus de pugnacité en février 1995, en montant au créneau lorsque éclatera l'épisode des écoutes de l'affaire Schuller-Maréchal qui ne concernait pourtant en tout et pour tout que deux coups de fil interceptés...

La partie publique du rapport d'activité 1993 de la CNIS n'en constate pas moins « la gravité des dysfonctionnements au demeurant notoires » de la cellule. « Il est constant que, se prévalant de la responsabilité particulière qui était la leur dans la lutte antiterroriste et de la confiance des plus hautes autorités de l'État, ses membres supportaient mal toute entrave à leur action et acceptaient difficilement les contraintes auxquelles ils auraient dû rester soumis. C'est ainsi que la motivation des demandes d'interception était le plus souvent réduite à une formule stéréotypée et que l'indication de la personne réellement visée en cas d'écoute demandée sur la ligne d'une tierce personne n'était pas obligatoirement fournie. Un tel comportement a conduit les membres de l'ex-cellule à échapper à tout contrôle effectif. »

Mais, curieusement, dans le même temps, l'ancien avocat déplore aussi les conditions de sécurité informatique déficientes de la cellule, qui ont permis des fuites en direction de la presse...

Reste, pour le juge Valat, un dernier obstacle que les avocats de la cellule ne manqueront pas d'invoquer : les problèmes de droit. Bien que cette affaire constitue à l'évidence une grave atteinte aux principes démocratiques, une menace juridique pèse sur ce dossier : la prescription des faits. Celle-ci est fonction de la définition juridique exacte des écoutes. D'aucuns espèrent ainsi enliser l'affaire par des arguties de procédure.

Quel est la qualification juridique d'une écoute illégale en droit français ? Elle repose sur l'« atteinte à l'intimité de la vie privée », un délit relevant des tribunaux correctionnels et dont la prescription est de trois ans. La plupart des plaignants ont invoqué ce motif. Certes, les faits remontent à la période 1983-86. Mais le juge Valat a estimé que, comme pour un abus de biens sociaux, le délit commence lorsqu'une victime apprend qu'elle a été mise sur écoutes – c'est-à-dire, en l'espèce, en 1993. En effet, comment pourrait-on porter plainte pour un délit dont on n'a pas connaissance ? C'est tout le problème de la prescription qui se trouve ainsi posé. Si la justice considère en effet que les faits sont prescrits, il n'y aura jamais de procès de l'affaire des écoutes de l'Elysée...

A moins qu'il ne s'agisse d'un crime... D'autres plaignants, comme Mᵉ Comte, ont en effet porté l'affaire sur un plan criminel, relevant de la Cour d'assises et dont la prescription intervient au bout de dix ans. L'avocat s'appuie sur des motifs rarement invoqués : « attentat à la Constitution », « atteinte à la liberté », « forfaiture ». Certaines de ces plaintes ont été acceptées. Mais, pour compliquer encore davantage le dossier, le nouveau Code pénal, entré en vigueur en 1994, a purement et simplement supprimé le crime d'« attentat à la Constitution » (tombé en désuétude) et transformé en délit l'ancien crime d'« atteinte à la liberté ».

Intermède judiciaire savoureux : cette « atteinte à la liberté » était traditionnellement considérée par le droit comme une atteinte à la liberté d'aller et venir, non de communiquer. Or, en 1994, lors d'un Conseil national du PS réuni à la Villette, un inspecteur des RG avait eu accès à un micro et pu rendre compte des propos tenus par les leaders du PS. Après la révélation de l'épisode par *Le Canard enchaîné*, les dirigeants socialistes protestèrent vivement et portèrent plainte, précisément pour « atteinte à la liberté ». Or, à la surprise des juristes, la Chambre d'accusation de la Cour d'appel de Paris leur donna raison et étendit l'« atteinte à la liberté » au droit de communiquer. Grâce à ces dirigeants socialistes, les écoutes de l'Elysée pratiquées du temps de François Mitterrand constituent donc bel et bien, en droit, une atteinte à la liberté !

Mais que faire des plaintes déposées après la promulgation du nouveau Code pénal en 1994 ? François d'Aubert et Jean-Edern Hallier sont dans ce cas. Le juge Valat avait demandé, comme c'est la règle, un réquisitoire supplétif pour intégrer ces plaintes au dossier déjà existant. Le parquet a refusé. Du coup, le juge Valat a pris de sa propre initiative deux ordonnances de jonction, estimant que ces plaintes sont, comme l'on dit en droit, « connexes » à sa procédure. Le parquet, qui n'a pas la même conception de la « connexité », a fait appel de ces deux ordonnances, avec l'aval de la Chancellerie.

Le feuilleton judiciaire continue. Selon son issue, il aboutira ou non à un jugement public. L'affaire des écoutes de l'Elysée sera-t-elle étouffée pour de simples questions de procédure ? Comme d'autres, le juge Valat aurait pu renoncer face au mur du silence dressé par le pouvoir. Mais, fort des documents matériels qu'il détient, il passe outre, et, le 6 décembre 1994, envoie par plis recommandés une salve de mises en examen à Gilles Ménage, Christian Prouteau, Pierre-Yves Gilleron, Jean-Louis Esquivié et Pierre-Yves Guézou. On peut y lire :

« Monsieur, en application de l'article 81 du Code de procédure pénale, je vous fais savoir que je suis saisi (...) des faits suivants : avoir, courant 1983, 1985 et 1986, volontairement porté atteinte à l'intimité de la vie privée d'Edwy Plenel, [son épouse] Nicole Lapierre, Hervé Brusini, Antoine Comte, Carole Bouquet, François Froment-Meurice, Joël Galipapa, Paul et Angelica Barril, en écoutant, en enregistrant ou transmettant, au moyen d'un appareil quelconque, des paroles prononcées dans un lieu privé par lesdites personnes sans le consentement de celles-ci (...). Il existe à votre encontre des indices laissant présumer que vous avez participé à ces faits. Pour cette raison, vous êtes mis(e) en examen et vous serez convoqué(e) ultérieurement. »

IX
Un mort à l'Élysée

Pendant que les « grands chefs », persuadés d'être protégés par leurs fonctions et leurs appuis, engagent une guérilla de procédure à coups de « secret-défense » et de « cabinets réservés », un des exécutants de la cellule va, lui, se sentir profondément atteint dans son honneur. Le 14 décembre 1994 à l'aube, Jean-Yves Guézou est retrouvé pendu dans l'appentis qui jouxte son pavillon de Noisy-le-Sec. Six jours auparavant, il avait reçu par la poste son avis de mise en examen dans l'affaire des écoutes. Après Pierre Bérégovoy et François de Grossouvre, il sera le plus anonyme des « suicidés » proches de l'Élysée.

Cet adjudant-chef qui avait été affecté en mai 1983 au « Groupe des Isolés » – appellation prémonitoire donnée aux gendarmes en poste aux écoutes du GIC – avant d'être finalement intégré à l'état-major de la Présidence – en fait, la cellule –, s'était longtemps cru à l'abri. « Petite main » de la cellule recrutée par le lieutenant-colonel Jean-Louis Esquivié, il réalisait ces écoutes sur ordres de Christian Prouteau. De juin 1983 jusqu'à « quinze jours ou un mois avant le changement de gouvernement de 1986 », ce militaire discipliné se rend tous les jours aux Invalides. C'est la cheville ouvrière de la cellule par qui passent matériellement toutes les écoutes. C'est à lui que revient la très lourde tâche de faire les synthèses des milliers d'écoutes élyséennes. Une tâche harassante, si l'on imagine combien de conversations chacune des vingt personnes écoutées simultanément pouvait avoir en vingt-quatre heures ! Et, surtout, une responsabilité terrible : faire le tri dans des propos parfois confus, souvent pointus, d'interlocuteurs de choix. « J'allais tous les jours au GIC, confirmera-t-il au juge Valat le 25 mai 1994. J'écoutais les conversations qui avaient été enregistrées pour la cellule et je les transcrivais de façon manuscrite, parfois mot à mot, mais le plus souvent je faisais des synthèses. »

Que devenaient ensuite ces transcriptions manuscrites ? « Je les laissais au GIC où elles étaient tapées à la machine. Ensuite, les transcriptions dactylographiées arrivaient à la cellule à l'Élysée. J'en ai vu dans le bureau de Christian Prouteau. » Il détaillera au juge son travail technique de « lecteur », mais ne donnera pas la moindre information sur le contenu des écoutes, se contentant d'affirmer qu'il transcrivait les conversations dès qu'elles tournaient « autour du terrorisme ou de la sécurité du Chef de l'État ». « Ça ne m'intéressait pas de savoir qui était écouté (...). Mon rôle était secondaire. » Il fut d'ailleurs récompensé de ses bons et loyaux services en étant promu capitaine – distinction relativement exceptionnelle pour un sous-officier. Il restera le dernier membre de la cellule en poste à l'Élysée, sans véritable affectation. Il aura alors la lourde tâche de « nettoyer » le système informatique. « C'était en quelque sorte Pierre-Yves Guézou qui était le liquidateur de la cellule, expliquera Jean-Louis Esquivié qui a, lui, quitté la cellule en 1989. C'est à lui qu'il appartenait de détruire les disquettes. »

Qu'a-t-il fait ensuite ? Sa réponse, si elle est vraie, est pathétique : « J'ai pris l'initiative de faire des notes de synthèse qu'en définitive personne n'a jamais lues. J'ai fait ce genre de notes de synthèse jusqu'à mon départ en retraite, en 1991, mais personne ne les a jamais lues. »

– Vous avez passé cinq ans à faire des notes de synthèse que personne ne lisait ? demande le juge, sceptique. N'aurait-il pas été plus opportun de demander que l'on vous laisse faire un travail utile ?

– Si j'avais dit que je ne servais à rien, on m'aurait renvoyé en gendarmerie départementale, et je n'en avais pas envie. »

Durant l'été 1989, Pierre-Yves Guézou aura l'honneur et la surprise d'être consulté en tête à tête à plusieurs reprises par François Mitterrand, inquiet du mouvement de contestation qui touche alors la gendarmerie nationale. Ce qui provoquera d'ailleurs le courroux de la haute hiérarchie, en particulier du général commandant l'Élysée...

Guézou, propulsé dans les hautes sphères des secrets d'État, s'était cru d'autant plus hors d'atteinte de la justice qu'« on » lui aurait plusieurs fois garanti assuré qu'il ne serait jamais mis en cause. Il ne comprend d'ailleurs pas les motivations de la presse lorsqu'elle enquête sur cette affaire. Il est abasourdi lorsque des journalistes le contacteront, soit à son domicile, soit sur son nouveau lieu de travail. Dans un mémoire en forme de réquisitoire contre les journalistes et leurs « informateurs », adressé au juge Valat le 24 mai 1994, il demande : « Est-ce aux journalistes de faire des enquêtes ? (...) À qui profite cette révélation ? Qui a pu donner mon nom et mon adresse aux journalistes, n'étant ni célèbre ni connu ? Il doit donc s'agir d'une personne qui a, ou a eu, soit des relations personnelles avec moi, soit qu'elle travaille pour le ministère de la Défense ? » Lorsqu'un journaliste se présente à son domicile, il l'éconduit, répondant seulement avec colère : « Je n'ai rien à dire, je n'ai ni tué, ni volé, ni rien fait d'illégal. Je suis gendarme et j'ai des chefs. » Il conclut ainsi sa note : « Après que divers journaux (toujours les mêmes) aient parlé de cette affaire, *Le Monde* du 16 mars 1994 annonce que le "secret-défense" n'existe pas et que certains anciens membres de la cellule vont être convoqués par le juge. Le 26 avril 1994, je suis convoqué pour me présenter le 25 mai 1994. » Manifestement, ce jour-là, le monde protégé du capitaine Guézou s'écroule.

Six mois plus tard, il se donne la mort. Sa mise en examen automatique, compte tenu de la nature du dossier judiciaire, lui a-t-elle porté le coup fatal ? N'a-t-il pas supporté la perspective du déshonneur d'une condamnation ? Était-il détenteur de lourds secrets qu'il craignait de devoir livrer un jour ou l'autre ? Tout suicide demeure un mystère.

Ce drame n'arrêtera pas pour autant le cours de la justice.

Un peu à la manière du petit juge grec de *Z*, Jean-Paul Valat fait défiler dans son modeste bureau du troisième étage du Palais de justice tout ceux qui, de loin et surtout de près, ont approché la cellule. La fine fleur de la République : un ancien ministre, deux PDG de grandes entreprises nationales, trois généraux, un ancien patron de la DGSE, des hauts fonctionnaires et, évidemment, les principaux responsables de la cellule, civils ou militaires.

Qui commandait les écoutes ? Qui allait les chercher aux Invalides ? Qui les retranscrivait ? Comment ont-elles fini dans les ordinateurs de l'Élysée ? Autant de questions que le magistrat s'emploie à poser à tout ce petit monde.

À tout seigneur, tout honneur : incontestable patron de la cellule, placé entre le cabinet du Président et ses « agents traitants », le commandant Christian Prouteau avait indéniablement la haute main sur les écoutes. D'ailleurs, il ne nie pas avoir pratiqué des écoutes durant le premier septennat de François Mitterrand. Il reconnaît même devant le juge Valat avoir été le signataire de demandes d'écoutes. Mais attention, s'il disposait effectivement d'un contingent d'une vingtaine de lignes au GIC, c'était pour pratiquer des écoutes administratives « classiques », en plein accord avec le ministère de la Défense et Matignon. Pas question, s'offusque-t-il, d'écouter des journalistes, des avocats, ou, pis, des hommes politiques !

Lors d'une première audition, le 7 février 1994, il précise : « Imaginer que j'aie pu le faire revient à penser que j'aie eu une démarche politique, ce qui n'a jamais été le cas. Quand nous avions besoin de faire poser une écoute, nous nous adressions à Gilles Ménage. Ensuite, je crois que la demande passait au « Bureau réservé » du ministre de la Défense, puis au cabinet du Premier ministre. » Mais il reste prudent : « Je n'en suis pas tout à fait certain (...), car je n'en suivais pas le cheminement. »

Christian Prouteau laisse entendre aujourd'hui, pour sa défense, que parmi les écoutes dont le compte rendu a abouti entre les mains du juge Valat, beaucoup proviendraient d'autres services : DST, DGSE, Sécurité militaire. Comment atterrissaient-elles à l'Élysée ? « Je pense que la cellule a pu récupérer les transcriptions ou les synthèses d'écoutes faites à la demande d'autres services, directement de la part du patron du GIC, le colonel Charroy, qui est aujourd'hui général. Charroy était copain avec Prouteau », a précisé Paul Barril.

En réalité, il semblerait que le circuit ait été beaucoup plus court : la cellule avait purement et simplement réquisitionné vingt lignes au GIC, à l'abri de tout contrôle extérieur. Tout le monde s'était incliné devant le sésame magique : « Ordre de la Présidence ! » Le ministère de la Défense et Matignon préférèrent détourner pudiquement les yeux, à moins qu'ils aient été délibérément tenus à l'écart.

Les responsables successifs du fameux « Bureau réservé » du ministère de la Défense ont parfaitement expliqué au juge Valat le fonctionnement du système et le rôle important de leur ministre Charles Hernu dans ce processus. « Le bureau que je dirigeais (de 1981 à 1983), explique le général Jean Heinrich, avait pour mission de vérifier que les demandes d'écoutes étaient conformes aux règles déontologiques définies par le Premier ministre. Il y avait des catégories de gens qui ne pouvaient être écoutées : journalistes, hommes politiques, fonctionnaires. Ce n'est qu'ensuite que je présentais la demande d'écoute au ministre lui-même. Une fois que le ministre de la Défense avait donné son autorisation, le carton partait au ministère des PTT, puis chez le Premier ministre. Fin 1982, Monsieur Hernu nous a dit que la cellule de l'Élysée aurait un contingent d'une vingtaine de lignes prises sur le contingent de la DGSE (...). Il m'est arrivé, après avoir lu la production, de signaler au ministre que l'écoute ne semblait pas conforme au motif avancé pour obtenir l'autorisation. »

Son successeur au Bureau réservé, François Fresnel, qui a exercé cette responsabilité délicate de septembre 1983 à l'été 1984, s'est montré plus précis encore : « Les demandes d'écoutes de l'Élysée arrivaient par motard dans une enveloppe à en-tête de la Présidence de la République. Ni Heinrich ni moi-même ne signions ces cartons. Nous ne voulions pas être impliqués dans un processus qui nous semblait être *à la limite* (...). Pour la cellule, M. Hernu nous disait de ne pas demander de précisions supplémentaires ni les motifs. Il nous indiquait que la cellule disposait d'autres renseignements qui ne nous étaient pas communiqués et qui justifiaient la demande. J'ajoute que M. François Bernard, directeur de cabinet de Charles Hernu, signait des autorisations pour la DGSE ou la DPSD, mais ne voulait pas signer pour la cellule. Seul M. Hernu signait les demandes venant de la cellule (...). Quand nous avons fait des observations à M. Hernu, il nous a dit là aussi que nous

n'avions pas toutes les informations nous permettant d'apprécier la validité de l'écoute, de
sorte que nous avons peu à peu cessé d'exercer
un contrôle de la production des écoutes de la
cellule. »

François Fresnel s'est en particulier inquiété à
propos de la traque de Jean-Edern Hallier : « Je
me souviens que lorsque la cellule avait
demandé la mise sur écoute de *La Closerie des
Lilas*, nous avons vraiment trouvé qu'il y avait
une dérive du système. J'ai dit à M. Hernu que
cela devenait farfelu. Il m'a dit de ne pas m'en
occuper. » Le fidèle Charles Hernu a donc aveu-
glément « couvert » les écoutes faites pour le
compte de son « grand homme » à l'Élysée.

Paul Quilès, ministre de la Défense en 1985-86,
restera plus vague. « On me donnait à signer un
carton portant le numéro de téléphone de la personne à écouter, l'activité de cette personne et
une motivation qui était souvent brève, du genre
"espionnage", "trafic d'armes", "terrorisme", "-
Liban". Cette motivation n'occupait pratique-
ment jamais plus de trois lignes. Je vérifiais que
la demande d'écoute qui m'était soumise n'était
pas contraire à la doctrine du Premier ministre
(aucune écoute sur "un homme politique, un
journaliste, un responsable syndical, un magistrat ou un avocat"). Je partais de l'idée que les
gens qui me demandaient les autorisations
d'écoutes faisaient convenablement leur travail
et je leur faisais confiance. » Pourtant, aux noms

de Mᵉ Antoine Comte, Carole Bouquet, François Froment-Meurice et Paul Barril, le ministre réagit en affirmant qu'à sa connaissance, ces gens n'ont jamais été écoutés...

De la même façon, Louis Schweitzer, directeur de cabinet de Laurent Fabius à Matignon, et à ce titre destinataire des demandes d'écoutes, assure : « Il y a tout un tas de noms que j'ai vus dans la presse, qui ne me disent absolument rien. D'autres noms évoquent quelque chose pour moi, pour lesquels je suis sûr que je n'aurais pas accordé d'autorisation d'écoutes (...). Je n'ai certainement pas autorisé l'écoute de la ligne de François Froment-Meurice, car il s'agit d'un homme politique. » Il reconnaîtra en revanche avoir donné son aval à la mise sur écoutes de Jean-Edern Hallier, ce qui lui vaudra d'être mis en examen pour « complicité » en novembre 1995.

Si l'on en croit ces deux témoignages, la cellule transgressait donc toutes les règles en vigueur et court-circuitait toutes les voies de contrôle ministériel. Une preuve de plus de la toute-puissance des hommes du Président !

Ceux qui ont voulu s'y opposer ont d'ailleurs été impitoyablement écartés : ainsi le colonel de gendarmerie Gervais, affecté à Matignon pour les affaires de sécurité, avait, à la demande de Michel Delebarre, directeur de cabinet de Pierre Mauroy, plusieurs fois attiré l'attention sur les dérapages de la cellule, en particulier en matière d'écoutes. C'est finalement lui qui en fera les frais. Il quittera Matignon en 1984. Michel Delebarre, entendu lui aussi par le juge Valat, fera silence sur cet épisode pourtant instructif.

Autre « victime » de la toute-puissance de la cellule : Jacques Genthial, un « grand flic » de la Police judiciaire, à l'époque patron de la Brigade criminelle, le célèbre 36 quai des Orfèvres. À ce titre, il avait été chargé d'enquêter sur l'« enlèvement » de Jean-Edern Hallier et l'attentat perpétré au domicile de Régis Debray, rue de Seine. Les enquêteurs étaient en effet convaincus que ces deux affaires étaient liées – ce que la suite confirmera (voir chapitre deux). Bien que la Criminelle ait été persuadée que l'enlèvement de l'écrivain était sujet à caution, l'affaire se conclura par une ordonnance de non-lieu. L'homérique garde à vue de « Jean-Edern », le 14 juin 1983, donnera pourtant lieu à une scène inhabituelle dans les locaux de la Crim : l'écrivain, à genoux, suppliait qu'on ne le renvoie pas au dépôt où il venait déjà de passer la nuit... Le commissaire Genthial, en accord avec la justice, le remit en liberté. Le patron de la Crim' ne se doutait pas alors qu'il allait être « débarqué » à cause de la vigilance exercée par la cellule sur Jean-Edern Hallier.

Quelque temps après, en effet, à sa grande surprise, le commissaire Genthial reçoit un appel de l'écrivain qui le remercie de l'avoir averti qu'il était placé sur écoutes illégales sur ordre de la cellule ! Le policier, qui n'en avait évidemment rien fait, plaisante au téléphone, sans accorder trop d'importance au monologue de l'écrivain fantasque. Jacques Genthial n'avait aucune raison de s'être livré à une telle confidence, puisqu'il avait lui-même placé Jean-Edern Hallier sur écoutes judiciaires ! Mais la cellule élyséenne prend, elle, très au sérieux les propos de l'écrivain qui, à plusieurs reprises au téléphone, se vante d'avoir été prévenu par Genthial. Les super-gendarmes, qui n'ont toujours pas digéré la façon dont la Brigade criminelle avait récupéré la procédure des « Irlandais de Vincennes » et démontré ses faiblesses, informent immédiatement Gaston Defferre, ministre de l'Intérieur.

En mars 1984, Jacques Genthial est curieusement convoqué chez le directeur général de la Police nationale, Pierre Verbrugghe, qui lui propose un poste en Bretagne. Stupéfait, et ne songeant pas un instant à l'épisode Hallier, il refuse, demandant ce qui lui est reproché. Ennuyé, Verbrugghe évoque des « fuites » au 36 quai des Orfèvres. Gaston Defferre, lui, refusera purement et simplement de le recevoir. Mais, interrogé par un responsable policier au sujet de ce limogeage, le ministre se contentera de répondre, énigmatique : « Genthial sait pourquoi. » Finalement, le commissaire sera muté au ministère de l'Intérieur, puis à la direction de la Police scientifique. Il lui faudra encore quelques mois avant de comprendre les raisons de son limogeage : informé par des collègues, il réalise que sa conversation avec Jean-Edern Hallier, à l'époque ennemi numéro un de l'Élysée, lui a coûté son poste. Un simple soupçon, infondé, qui plus est, avait alors suffi à la cellule pour faire « sauter » le patron respecté d'un prestigieux service de police. Curieuse carrière, au demeurant, que celle de Jacques Genthial qui, malgré ses qualités reconnues, aura été débarqué à trois reprises : tout d'abord par la droite avant 1981, puis par la gauche, comme on l'a vu, et à nouveau par la droite, sous Édouard Balladur, alors qu'il était directeur central de la PJ !

Le commissaire, prudent et échaudé par cet épisode, n'a plus jamais repris « Jean-Edern » au téléphone. Dans les comptes rendus d'écoutes qui ont abouti entre les mains du juge Valat, on note en effet que l'écrivain tente en effet à plusieurs reprises de reprendre contact avec Jacques Genthial – qui fait alors systématiquement répondre qu'il est absent. Ainsi, par exemple, le 26 novembre 1985, les « écouteurs » notent : « Hallier veut prendre un pot avec Genthial, car il a des choses à lui dire. » La secrétaire prend consciencieusement le message. Le commissaire ne donnera pas suite...

Que devenaient les écoutes, une fois déposées à l'Élysée ? Dans un premier temps, elles allaient enrichir un fichier manuel. Mais, à partir de 1985, à l'initiative du lieutenant-colonel Jean-

Louis Esquivié, considéré comme l'informaticien de l'équipe, la cellule s'est modernisée et s'est mise à l'informatique : « En 1985, nous avons acheté un ordinateur personnel, explique-t-il. Je connaissais un juif new-yorkais du nom de Burt Goldberg, qui était l'inventeur du "PC". Il m'a vendu un ordinateur, puis m'a fait prendre contact avec la direction d'IBM-France. » Étrange et discrète façon, pour la Présidence de la République, de se procurer du matériel informatique...

L'ordinateur PC XT de la cellule était équipé de trois logiciels : Writing, Filing et Graphig (« pour faire des "camemberts" sur le terrorisme » dira l'un des membres de la cellule). Après 1986, certains s'en serviront même à l'Élysée pour se livrer à des activités plus ludiques, en particulier à partir d'un programme intitulé « Jeux Olympiques »...

Étape suivante : les comptes rendus d'écoutes dactylographiés en provenance du GIC étaient saisis sur les ordinateurs, en grande partie sous la houlette de Pierre-Yves Gilleron (elles portent alors la mention « Traitant : Pyves »), aidé d'une batterie de secrétaires (Marie-Pierre, Patricia...). Christian Prouteau est évidemment le destinataire de cette « production ». Une partie d'entre elles, la plus intéressante, franchit les portes du cabinet présidentiel grâce à Gilles Ménage (voir chapitre dix).

Qui décidait et contrôlait *in fine* ces écoutes ? La cellule ou le cabinet ? Les gendarmes ou les politiques ? Le juge s'acharne à tenter de le découvrir. Après s'être réfugiés derrière le secret-défense, les principaux responsables se renvoient maintenant la balle. Prouteau ayant désigné Gilles Ménage, ce dernier met les choses au point dans une longue note remise au juge le 16 janvier 1995 : « Je suis personnellement mis en cause par Christian Prouteau (...). C'est inexact (...). Je ne m'occupais pas des demandes d'écoutes téléphoniques émanant de l'équipe de Christian Prouteau, qui gérait son contingent (...). C'est le « Bureau réservé » du ministère de la Défense qui était destinataire des demandes initiales et les soumettait à la décision du ministre. » Le même jour, il confirme de vive voix au magistrat avoir été au courant de nombre d'écoutes demandées par la cellule : « J'ai lu parfois des retranscriptions brutes venant du GIC, qui n'étaient pas pour autant *in extenso*. Je lisais parfois des synthèses. »

Les écoutes atterrissaient-elles ensuite sur le bureau de François Mitterrand ? Le premier personnage de France se délectait-il à la lecture d'écoutes illégales ?

X
Les oreilles
de François Mitterrand

« Le téléphone a remplacé à moindres frais l'indicateur qui, dans les restaurants, notait vos paroles en vous passant les plats. Je n'ai pas la preuve absolue que ma ligne figure sur la table d'écoutes. Mais je n'ai pas non plus la parole d'honneur du Premier ministre qu'il n'en est pas ainsi. Alors, je me tais. Ou je code. Ou je m'en moque (...). Je ne puis m'empêcher de penser que la dictature du micro est aussi celle des idiots. Que font-ils donc de ces milliers de mots volés ? »

Cette belle envolée est signée d'un certain François Mitterrand, en 1975, dans *La Paille et le grain*[1]. Dix ans plus tard, il doit sans doute avoir la réponse à sa pertinente question : parmi les « millions de mots volés » par les « idiots » de la cellule pour son compte, combien lui parvenaient directement ?

---

1. Flammarion.

Comment imaginer en effet que les super-gendarmes aient pu mettre sur écoutes l'entourage de la mère de Mazarine sans que le Président l'ait su, voire demandé ? Et comment imaginer que François Mitterrand n'ait pas pu être au courant des écoutes ainsi commanditées et traitées dans les murs de l'Élysée ?

Le commandant Prouteau disposait d'un bureau proche du sien. Et l'homme qui avait la haute main sur la cellule, Gilles Ménage, est alors son directeur adjoint de cabinet. Il a une telle confiance en lui qu'il le nommera directeur de cabinet, puis directeur général d'EDF. D'ailleurs, certains documents attestent l'intérêt de François Mitterrand pour les affaires sensibles et lèvent un coin du voile sur le cheminement des secrets à l'Élysée.

Premier échelon : les rapports Ménage/Prouteau. On l'a vu, l'affaire des écoutes de l'Élysée démarre par la publication d'une note manuscrite édifiante datée du 28 mars 1983, du directeur adjoint de cabinet, Gilles Ménage, au patron de la cellule, Christian Prouteau. Le sujet : l'« affaire des Irlandais » après les premières révélations du *Monde* (voir chapitre quatre). Elle révèle l'étendue et le cynisme des demandes du cabinet. Gilles Ménage n'y va pas par quatre chemins :

« Commandant Prouteau. Il faut que nous parlions de cette campagne de presse au sujet des Irlandais qu'il ne faut pas laisser se développer. »

Suivent quatre directives musclées :

« 1 – Qui est la journaliste qui a écrit l'article, Béatrice Vallaeys ?

2 – Il faut essayer de calmer la LICRA : je vais m'en occuper avec Jean-Claude Colliard.

3 – Il faut monter un dossier sur ce que vous savez des activités de ces trois "agneaux".

4 – Il faut que l'on s'"occupe" sérieusement de l'avocat M⁰ Comte.

Merci de me parler de tous ces points.

G.M. »

« Calmer la LICRA », « monter un dossier », « s'occuper sérieusement » : les mots sont significatifs de la volonté inflexible du directeur adjoint de cabinet de François Mitterrand, qui ne s'embarrasse pas de circonlocutions inutiles. Décryptons :

1 – Béatrice Vallaeys traitait à *Libération* l'affaire des Irlandais. Ses articles bien informés déplaisaient à l'Élysée. Gilles Ménage demande donc sans détours une fiche sur la journaliste.

2 – La LICRA est la Ligue contre le racisme et l'antisémitisme, une association de défense des droits de l'homme très proche de la gauche, mais qui avait eu le tort de s'émouvoir du sort des Irlandais. Gilles Ménage entend la « calmer » avec l'aide de son supérieur hiérarchique, Jean-Claude Colliard, directeur de cabinet de François Mitterrand.

3 – Ménage souhaite rassembler toutes les informations à charge concernant le passé « ter-

roriste » des « Irlandais de Vincennes ». Prouteau annotera d'ailleurs de sa main la note en
face de ce troisième point. Il demande à son
adjoint Paul Barril : « Paul, me faire la synthèse
de ce que l'on sait sur Plunkett [l'un des trois
Irlandais] à travers ton info. »

4 – Que signifie s'« occuper sérieusement » de
Mᵉ Comte ? Gilles Ménage le laisse entendre lors
de son audition par le juge Valat. « Respectueux
des droits de la défense », il estime tout de même
qu'il devait « s'informer pour voir s'il n'y avait
pas des anomalies de comportement ». Qu'entend Gilles Ménage par « anomalies de comportement » chez un avocat ? Il s'explique volontiers : « L'insistance de la campagne de presse
[sur les Irlandais de Vincennes], le fait que
Mᵉ Comte avait été ou était encore l'avocat d'Action directe, le fait que Mᵉ Comte avait fait en
octobre 1982 un voyage à Beyrouth et à Damas
pour un comité de libération (...) de prisonniers
palestiniens, le fait qu'en septembre 1982 Mᵉ
Comte aurait pu avoir un contact avec M. Braun,
chef d'état-major de l'INLA (Mouvement d'indépendance irlandais) – ce contact aurait eu lieu à
Paris –, le fait, enfin, de démarches que Mᵉ Comte
avait présentées en faveur des autorités irlan-
daises pour qu'elles interviennent en faveur de
ses clients ». Mais, à sa connaissance, Mᵉ Comte
n'a jamais été espionné par la cellule.

En marge de la note de Gilles Ménage sur
Mᵉ Comte, Christian Prouteau note « 46 ? ! ! » Ce

chiffre, on l'a vu, est le code administratif signi-
fiant « écoutes ». Le juge se livrera d'ailleurs à une
exégèse pointue du point d'interrogation et des
deux points d'exclamation qui accompagnent ce
« 46 ». S'agit-il d'une demande – risquée – de
branchement sur l'avocat ? Ou, au contraire, si
l'avocat est déjà écouté, signifient-ils qu'il faut
faire plus (filature, intimidation, etc.) ? La déclaration de Gilles Ménage au juge Valat pourrait le
laisser penser. Paul Barril commentera lui aussi
ce point : « Quand Gilles Ménage dit qu'il faut
s'occuper sérieusement de Me Comte, il veut dire
que l'on sache tout de la vie de Me Comte pour
éventuellement trouver la faille qui permettra de
l'empêcher de nuire (...). Je crois savoir que
Me Comte a été suivi jusqu'au Liban. »

Deuxième échelon : les notes de Gilles Ménage
au Président. Bien qu'une grande partie des
informations transitait de façon orale, il arrivait
régulièrement au directeur adjoint de cabinet
chargé des affaires de sécurité de rédiger des
notes dactylographiées ou manuscrites (dans les
cas les plus sensibles) à destination du Président.
L'une d'entre elles, datée du 17 février 1983,
consacrée à la situation en Corse après l'assassinat d'un coiffeur continental, André Schock, par
le FLNC, suite à une tentative de racket, montre
bien l'articulation entre la cellule et le cabinet.
Elle débute ainsi :

« Note à l'attention de Monsieur le Président de la République. Objet : situation en Corse. Le commandant Prouteau vous a fait part de ses inquiétudes sur l'évolution possible de la situation en Corse. Il me paraît indispensable de vous informer à cet égard, avant que l'affaire soit rendue publique, des conclusions provisoires assez alarmantes concernant un cas d'homicide volontaire constaté le 9 février 1983 à Alta (Corse du Sud) (...). D'après les informations que j'ai recueillies, il se confirme du reste que les renseignements qu'obtient la police sont quasi inexistants et que la trêve actuelle est uniquement due à la proximité d'échéances électorales. Il est certainement nécessaire d'entreprendre des actions plus volontaristes sur le plan policier. »

Gilles Ménage demande ensuite au Président d'intervenir auprès du garde des Sceaux, Robert Badinter, jugé « réticent », pour décider de la remise en liberté d'un autonomiste corse susceptible de faire obtenir des informations « permettant de procéder à des saisies d'explosifs et d'armes, et peut-être aussi à des arrestations spectaculaires ». En marge de cette note, un « oui » manuscrit paraît constituer l'aval présidentiel.

Parfois, Gilles Ménage fournit même directement des informations « exclusives » à François Mitterrand. Ainsi, ce mot manuscrit – et inédit – daté du 30 janvier 1985, à en-tête de la « Présidence de la République – le directeur adjoint du cabinet », qui concerne l'un des auteurs de ce livre :

> « Monsieur le Président, le document ci-joint va être exploité par Jacques Derogy et Jean-Marie Pontaut dans le prochain numéro de *L'Express*. Il s'agit d'une lettre du Comité central du Parti communiste d'Union soviétique au Comité central du Parti communiste français datant de 1977. Il n'y a pas de preuve de son authenticité, mais elle est très probable. Ce document est certainement "sorti" dans le cadre de luttes internes actuelles du PC (suites de l'"affaire Fabien"). Il comprend des formules surprenantes et sera naturellement exploité dans le sens de l'inféodation du PC français aux dirigeants soviétiques. La source qui a fourni ce document à la DST est très sensible et cette communication doit rester confidentielle. Gilles Ménage. »

En effet, deux jours plus tard, le 1er février 1985, *L'Express* publie une longue lettre, datant de mars 1977, du Comité central du PCUS à son homologue français...

Ces notes prouvent, s'il en était besoin, le goût de François Mitterrand pour ce type de renseignements. Ancien ministre de l'Intérieur et de la Justice, lui-même « victime » de « coups tordus » par le passé, il a eu, dès le début du premier septennat, le désir de contrôler les domaines les plus sensibles. N'ayant pas confiance en la police, il s'est entouré d'une « garde prétorienne » composée de gendarmes, ce qui a posé des problèmes avec le haut état-major de la gendarmerie. Il a placé à la tête du ministère de l'Intérieur son vieux compagnon Gaston Defferre, et, choix moins heureux, à la Sécurité, Joseph Franceschi, qui recrutait jusqu'alors des gardes du corps arméniens pour les meetings du candidat socialiste. À la Défense, Charles Hernu, fidèle parmi les fidèles, dont on a vu le rôle dans les écoutes. À la DGSE, c'est Pierre Marion qui fut nommé par le Président. François Mitterrand a par ailleurs montré un goût prononcé pour les conseillers de l'ombre, comme le mystérieux François de Grossouvre. Ces choix, souvent plus dictés par la fidélité et l'allégeance que par la compétence, contribueront à provoquer quelques affaires d'État comme celles des « Irlandais de Vincennes » et du *Rainbow Warrior*.

Avec le temps, il s'entourera de personnages certes tout aussi fidèles, mais plus aguerris. Pierre Joxe, Michel Charasse, Gilles Ménage prendront alors les premiers rôles. Les préfets – souvent venus de la Nièvre, son département – sont promus, comme Jacques Fournet qui fut patron des RG, puis de la DST. Son dernier directeur de cabinet, Pierre Chassigneux, a lui-même été directeur central des RG.

Ce goût du renseignement allait-il chez François Mitterrand jusqu'à avoir directement accès aux comptes rendus d'écoutes ? À l'Élysée, deux personnes étaient susceptibles de lui en communiquer : Gilles Ménage qui, on l'a vu, les voyait passer et en tirait des notes de synthèse à l'intention du Président, et Christian Prouteau qui, lui, les centralisait et pouvait donc en parler avec Mitterrand lors de conversations privées. Paul Barril, lui, va plus loin face au juge Valat : « La personne qui suivait ou les personnes qui suivaient le dossier – puisqu'il y avait parfois plusieurs initiales – faisaient elles-mêmes les synthèses d'écoutes. Si elles mettaient leurs initiales, c'était pour que le Chef de l'État, quand il les lisait, remarque la qualité du travail et en identifie l'auteur. L'honneur suprême pour l'un des traitants était que le Chef de l'État l'appelle pour lui demander son avis. » Mais rien ne prouve formellement le bien-fondé de cette affirmation dans le volumineux dossier d'instruction du juge Valat.

Le Président lui-même ne supportait pas, en tout cas, que ce sujet fût abordé. Il faudra toute la pugnacité de deux journalistes belges pour qu'une question lui soit posée un jour à ce sujet. Elle entraînera illico la fin de l'entretien. François Mitterrand lâchera simplement sur un ton glacial : « Il n'y a pas de système d'écoutes ici. Le système d'écoutes, il dépend du Premier ministre. Il est physiquement, je crois... Je ne peux même pas vous le garantir, je ne sais pas où c'est. Je crois que, physiquement, il dépend du ministre de la Défense. Il y a des autorisations assez compliquées pour les écoutes. Moi, personnellement, je n'en ai jamais lu une seule. (...) Je suis très étonné que vous engagiez le débat sur ces choses. Si j'avais su qu'on allait tomber dans ces bas-fonds, je n'aurais pas accepté l'interview[1]. »

Un homme dans le dossier a pourtant mis en cause le Président : Jean-Michel Beau, commandant de gendarmerie qui fut proche de la cellule avant de la combattre après l'affaire des « Irlandais de Vincennes ». Il a affirmé au juge, le 17 juillet 1995, qu'une « écoute sur Régis Debray a été faite à la demande du Président de la République lui-même. Je l'ai su par Christian Prouteau ». Régis Debray était à l'époque conseiller à la Présidence de la République. Un autre conseiller de François Mitterrand assure que des comptes rendus d'écoutes arrivaient régulièrement sous pli fermé – contrairement aux autres notes – sur le bureau du Président. Plusieurs de ses collaborateurs se souviennent d'ailleurs en avoir vu sur son bureau. Mais s'agissait-il d'écoutes administratives classiques ou de celles de la cellule ?...

Régis Debray, l'épouse de son Premier ministre, des journalistes qu'il considérait comme des ennemis personnels, enfin une amie

1. Cité dans *La Part d'ombre*, d'Edwy Plenel, *op. cit.*

de la mère de Mazarine : comment François Mitterrand aurait-il pu ne pas prendre connaissance des écoutes des super-gendarmes ?

S'il l'ignorait, c'était une faute. S'il le savait, c'était un crime d'État.

Épilogue
Que sont-ils devenus ?

Gilles Ménage : le mentor de la cellule élyséenne, après avoir été longtemps directeur-adjoint du cabinet de François Mitterrand, sera promu directeur de cabinet en 1988. Trois ans plus tard, il est récompensé de ses bons et loyaux services en s'installant dans le fauteuil de président d'EDF. Une belle reconversion pour ce préfet, finalement « débarqué » par la nouvelle majorité en novembre 1995.

Mis en examen dans l'affaire des écoutes de l'Élysée.

Christian Prouteau : ce super-gendarme, promu préfet par la grâce de François Mitterrand, a été mis en examen dans l'affaire des « Irlandais de Vincennes ». Le Président volera à son secours en septembre 1987 dans une déclaration enflammée devant les caméras de télévision : « Les Français apprendront à respecter et aimer le colonel Prouteau, prototype de ce que notre armée peut produire. » Condamné en première instance, Christian Prouteau sera relaxé en appel. François Mitterrand le décorera de la légion d'honneur le 14 juillet 1992. Entre temps, il aura été chargé d'une mission sur la sécurité des Jeux Olympiques d'Alberville, ce qui ne l'empêchera pas de garder longtemps un bureau à l'Élysée. Aujourd'hui préfet hors-cadre sans affectation, il s'adonne au bénévolat avec l'association « L'Avenir en main », vouée à l'insertion des jeunes.

Mis en examen dans l'affaire des écoutes de l'Élysée.

Jean-Louis Esquivié : cet officier de gendarmerie, qui a mis au point le système informatique servant à traiter les écoutes pour le compte de l'Élysée, a aujourd'hui été promu général. Il commande la direction des écoles de gendarmerie à Maisons-Alfort et assure, à ce titre, la responsabilité de la formation de tous les jeunes gendarmes de France...

Mis en examen dans l'affaire des écoutes de l'Élysée.

Pierre-Yves Gilleron : cet ancien commissaire de la DST et industrieux traitant de la plupart des écoutes élyséennes s'est reconverti dans le privé. Après une association avec Paul Barril dans la société SECRETS qui aboutira à un conflit ouvert entre les deux hommes, il est aujourd'hui domicilié à Brazzaville et conseille la Présidence de la République du Congo, dont il assure la sécurité.

Mis en examen dans l'affaire des écoutes de l'Élysée.

Paul Barril : le bouillant capitaine, qui avait quitté la cellule en 1983, s'est recyclé avec succès dans la sécurité privée (protection de l'émir du Qatar) et dirige la société SECRETS, qui compte près de deux cents employés, des bureaux à Paris et dans le Midi. Malgré les multiples accusations portées contre lui, il n'a jamais été inquiété par la justice, ni pour l'affaire des « Irlandais de Vincennes », ni pour les écoutes (dossier dans lequel il est plaignant), si ce n'est par un récent arrêt de la Cour de cassation faisant suite à un procès avec le quotidien *Le Monde*.

La mystérieuse dame en noir : la jeune femme qui a révélé les clefs de l'affaire des écoutes en déposant les disquettes chez le juge, n'a jamais été identifiée. L'appel téléphonique anonyme qui avait suivi cette remise mettait certes le juge Valat sur la piste d'un « blond » – allusion transparente à Pierre-Yves Gilleron. Ce dernier contre-attaqua en assurant que la mystérieuse dame en noir n'était autre qu'une des secrétaires de Paul Barril. Le magistrat a donc effectué un « tapissage » en présentant au gendarme qui avait réceptionné les disquettes quatre femmes en noir mêlées à la fameuse secrétaire. Sans succès. Le mystère demeure.

François Mitterrand : l'ancien Chef de l'État a disparu le 8 janvier 1996. Il s'est toujours refusé, avec dédain, à s'expliquer sur les écoutes de l'Élysée. Il emporte donc un secret de plus avec lui.

Le juge Valat : il continue d'enrichir son très volumineux dossier d'instruction et auditionne régulièrement de nouveaux témoins. Il devrait donc renvoyer cette affaire devant le tribunal correctionnel. S'il franchit sans encombre tous les obstacles politico-judiciaires... Le procès de la sulfureuse affaire des écoutes de l'Élysée aura-t-il lieu un jour ?

ANNEXES

Le Bottin secret
de l'Élysée

Annexe I

Fac-similés d'écoutes

```
         G U I C H E T
Maj-jour: 85/11/12      Maj-heure: 10:43        traitants: MPyves

Qui....: Joel        jour: 85/11/06      heure: 21:06
à Qui ?: Pasqua                                          tel: 4747
(Charles Pasqua      boulevard de la Saussaye à Neuilly -92-)
personnes citèes....:


organisations citèes:


sujets traitès......:


absent: elysèe cité: Tactique:  Renseignements exploitables:
Résumè.....:
Conviennent d'un rendez-vous le 13 novembre en fin de journee, les modalites
restant a determiner.
Joel passera le voir toutefois en fin de matinee a 11:45.
```

Document 1.   Synthèse d'une écoute téléphonique entre Joël Galipapa (pseudonyme « Guichet ») et Charles Pasqua. Les mentions « Maj-jour » et « Maj-heure » indiquent la mise à jour informatique de l'écoute. La mention « traitants » précise le nom du membre de la cellule élyséenne chargé de superviser l'écoute (ici « Pyves », abréviation pour Pierre-Yves Gilleron). En dessous figurent le jour (6/11/85) et l'heure exacte (21 h 06) de l'appel, ainsi que l'adresse et le numéro de téléphone de la personne appelée. On trouve enfin différentes entrées (« personnes citées », « Élysée cité », « Renseignements exploitables »...) complétées lorsqu'il y a lieu. La synthèse de l'écoute proprement dite débute alors.

```
      C A P E
Maj-jour: 85/12/02        Maj-heure: 14:04              Traitants: Pyves

Qui....: Kid          jour: 85/11/30        heure: 09:25
a Qui  : Jean Dutourd                                        tel:

personnes citees....: Sollers, Deon.


organisations citees: Enfer rose, Honneur perdu, Idiot, Elysee, Fogaro-Magazine,


sujets traites......:


absent: Elysee citee :+Tactique: Renseignements exploitables:
Resume.....:
Kid informe Jean Dutourd de sa mesaventure publicitaire et lui conseille de lire
le Figaro-Magazine.
Kis, de plus, envisage de fonder 'un comite d'usegers et de demander a quelques
copains de venir avec [lui] dans le metro en premiere classe, dans une photo

Attachment:
      d'usagers".
Jean Dutourd n'a pas le temps. Selon Kis il y aurait Deon, Sollers et...
Kid l'entretient a nouveau de "l'acharnement de l'Elysee a le persecuter" et
evisage de reagir en publiant de ses quatre annees de malheur. Il prendra les
meilleures pages de l'Honneur perdu, racontera l'histoire de l'Idiot et
l'appellera l'enfer rose.
Dutourd lui declare que dans trois mois ce sera termine. Puis il lui conseille
de ne pas publier l'Honneur perdu en l'etat et de se mettre au travail tout de
suite.
```

Document 2. Synthèse d'une écoute téléphonique entre Jean-Edern Hallier (appelé « Kid ») et l'académicien Jean Dutourd (voir chapitre deux).

```
              B O U T
Maj-jour: 86/02/28        Maj-heure: 17:27        Traitants: Pyves

Qui....: Castro      jour: 86/02/27              heure: 14:00
à Qui ?: Bout                                    tel:

personnes citèes....: Stasi, Laurent Fabius, Darie Boutboul, Lionel Duroy,
Castait, Maryline, Grelier, Photom (Paris-Match photo),

organisations citèes: Minute, Agence France-Presse, Sygma, Match,


sujets traitès......:


absent:  elysèe citè:  Tactique:  Renseignements exploitables:
Résumè.....:

Attachment:
C : alors j'ai vu le truc, vous l'avez vu vous ou pas ?...alors...on a appele
    Stasi...parce qu'en fait ce n'est pas encore sorti...moi, je pensais que
    c'etait deja en parution. On disait qu'au fond on allait le faire retirer
    de la vente, comme ca, ca ferait un bouillon economique...et Stasi...n'avait
    pas vu le journal, donc il doit nous rappeler a 14h30...Stasi dit qu'ils
    peuvent tres bien, des lors que l'article fait mention des photos...faire
    enlever les photos, mettre des blancs...et en disant voici les photos qu'il
    vous est interdit de voir...ca serait pire que tout...on va peut etre
    essayer...de voir si on peut le laisser sortir et condamner apres...et de la
    faire sortir apres pour que justement on voit bien que les photos sont pas..
    .nous on pense que c'est un texte pour les photos suivantes...alors par
    rapport a l'article...on attend le 2eme coup de fil de Stasi...alors Laurent
    avait d'abord dit non, apres, il s'est dit apres tout pourquoi pas et puis
    la, il hesite, il a un argument qui est assez fort...on attend de voir ce
    que Stasi va en penser puisqu'il n'avait pas vu le journal...donc on le fait
    porter...qui consiste a dire la pour le moment tel que ca apparait, ca
    apparait comme une manoeuvre politique...de la part de Minute...qui en
    explique comme c'est venu et comment c'est fait, c'est relancer l'affaire
    Darie Boutboul...et c'est affirmer qu'effectivement il y a une liaison entre
    les 2...
```

Document 3. Écoute téléphonique entre le journaliste Georges Marion (pseudonyme « Bout ») et Françoise Castro (ici « C »), épouse du Premier ministre Laurent Fabius (voir chapitre quatre).

Attachment:

B : pas necessairement...si on explique...comme c'est venu, c'est d'abord pas
    sympathique pour Darie

C : comment vous pouvez justifier que vous savez ca ?

B : je ne justifie pas, je dis les ecoutes ont montre que...(dans son article
    pour Liberation vraisemblablement)

C : oui, mais alors les ecoutes

B : mais les ecoutes judiciares...le juge d'instruction fait son enquete...
    c'est judiciare...il a demande a ecouter, les ecoutes ont montre que...
    l'avocat

C : les gens ne vont pas etre choques par les ecoutes, parce que Laurent dit les
    ecoutes, on va croire que c'est moi qui l'a fait ecouter

B : pas du tout, il faut insister en disant que ce sont des ecoutes ordonnees
    par le juge d'instruction...parce que c'est le cas d'ailleurs...c'est des
    ecoutes comme dans d'autres affaires judiciaires...moi, j'en vois souvent...
    dire...elles ont montre que l'avocat de Darie...lorsqu'il l'a appris...a
    engeule sa cliente et a declare forfait...ca a l'avantage de presenter Darie
    comme une personne peu sympathique...de presenter Minute comme des gens qui
    ne reculent pas devant ces affaires...en achetant...enfin, ils ont achete
    vraisemblablement...on le sait pas mais...ils y ont ete et puis, c'est pour
    - suite page suivante -

Document 3 (suite)

```
        B E N E
Maj-jour: 85/11/28        Maj-heure: 16:49         Traitants: Pyves

Qui....: Baudelot    jour: 85/11/29   Le Monde        heure:
à Qui ?:                                              tel:

personnes citées....: Yves Baudelot


organisations citées:


sujets traités......:


absent:  elysée cité:   Tactique:   Renseignements exploitables:
Résumè.....:
Me Yves Baudelot elu au conseil de l'ordre du barreau de Paris.
Yves Baudelot est l'avocat du Monde depuis 1976. Sa direction comme ses
collaborateurs ont pu, tant dans la conduite des proces intentes a notre journal
qu'a l'occasion des conseils ou des consultations que M. Baudelot a donne sur la

Attachment:
conduite des activites de la Sarl Le Monde, apprecier la bonne grace, la
competence et la conscience d'un juriste scrupuleux jusqu'au perfectionnisme.

Son pere, Bernard Baudelot, fut, en 1972 et 1973, un batonnier de Paris apprecie
et respecte, et reste aujourd'hui un ancien batonnier toujours tres present dans
sa profession.
```

Document 4.   Fiche de la cellule élyséenne sur l'avocat du
Monde, Mᵉ Yves Baudelot.

```
Numero : 4633

Nom    : Fabius
Prenom : Laurent
Adresse:    Place du Pantheon Paris 5°


Qui ?  : Benet

Date ? : 18/12/85
son epouse nee Castro est juive greco-turque nee au Mexique, naturalisee
française. Elle est en contact avec Benet et Bout.
```

Document 5.   Fiche de la cellule élyséenne sur Laurent
Fabius.

Annexe II
Les « cibles »

Liste des personnes et des organismes directement placés sur écoutes par la cellule élyséenne entre 1983 et 1986 (les qualités indiquées entre parenthèses sont celles de l'époque ; les défaillances orthographiques éventuelles ont été conservées)

ADHAM Omran
ADNET Dominique
ALLESSANDRI Fran-
çoise
ASSOCIATION POUR
LE DEVELOPPE-
MENT DE L'ECONO-
MIE DE MARCHE
(Adem)
AUGIER Jeanine
AZERAD Nelly
BAKHRI Mohamed Ali
Farwati
LE POURQUOI PAS
(bar)
BARUCH Simon (*dit
Georges Marion, jour-
naliste*)
BENOIST-LUCY Ber-
nard

BENOIST-LUCY
Josèphe
BENOIT-LAPIERRE
Nicole (*ligne d'Edwy
Plenel, journaliste*)
BIRGY Marlène
BONGAIN Christian de
(*dit Xavier Rauffer,
journaliste*)
BOUDAL Philippe
BOUGUERRA Slimane
BOUQUET Carole
(*comédienne*)
BRETON Jacques
CAPELLE-HALLIER
Marie–Christine
(*épouse de Jean-Edern
Hallier*)
CAPLUN Elisabeth
CARASSO Catherine

CASTANNET Marie-Urbain
CENTRE THERAPEU-TIQUE DES SABLONS
CHAANAN Rafic
CHAUVIDANT Brigitte
CHERIF Hussein
CHEZ FRANCIS (*restaurant*)
CORREA Marguerite
DA SYLVERA
DE BROGLIE Frédéric
DE SAVOYE Marcel
DEBRAY Régis (*conseiller de François Mitterrand*)
DECUP Lucien
DELOINTAVENEAU Emile
DELPEY Roger
DERBANNE Anne-Marie
DESCOMBINI Jean-Claude
DIP INDUSTRIE
DULAC Emile
DUTOURD Frédéric (*fils de Jean Dutourd*)
DUVIGNAC Jean-Pierre
EMPAIN Jean (baron)
ERULIN Dominique
FRASER Helen (*journaliste*)

FROMENT-MEURICE François (*homme politique*)
GALIPAPA Joël (*homme politique proche de Charles Pasqua*)
GAMMA (*agence photo*)
GOUBET Raymond
HALLIER Jean-Edern (*écrivain*)
HALLIGER Elke
HASSAN Salim
HAYAT Amina
HERAUD Jean-Pierre
HOTEL CONCORDE LAFAYETTE
HOTEL MERIDIONAL
HOTEL MONTALEM-BERT
HUBCH Elisabeth
ICA Sa (*société du baron Empain*)
ISSA Mahoud Youssef
JANIN Christine
JOUAULT Odette
JUDAIS Jean-Pierre
IURILLI Pascal
KACI Catherine
KAELHIN Gilles (*policier des Renseignements généraux*)
KORATEIM Leila
KORCARZ Hélène
LA CLOSERIE DES LILAS (*restaurant*)

Les « cibles »

LA TABLE RONDE (*éditions de*)
LABROUSSE Lionel (*éditeur*)
LABROUSSE Michel
LE CARAMEL (*night-club*)
LE CAVELIER Gilbert
LE NY Gilles
LE VIEUX COMPTOIR (*bar*)
LEBATTEUX Jean-Louis
LEFEBVRE-DETERPIGNY Thérèse
LEVANDI Roger
LEVITT Susan
LEVY Claude
LIEBAERT Alexis (*journaliste*)
LORRAIN Jean-Pierre
LUX Patricia
MAILLIEZ Frederika
MAINARDI Vittoria
MASSEE Pierre
MATINE Eloi
MAXIMILIEN Jean-Baptiste
MENETREY Paul
MEPPIEL Armand
MINET Annette
MONTAGNE Michel
MOOTIEN Kistnasamy
N'GUYEN Hélène
N'KAOUA Armand

NMPP
NOHRA Roger
NOVAT Pierre (*avocat*)
NOVECLAIR (*entreprise de nettoyage*)
OFFICE DU TOURISME DU SENEGAL
ORR Andrew
PAROT Philippe
PAROT Roger
PEPIN Yvette
PICHON Josette
PLANCHEZ Hubert
POLYCARPE Claude
RAAD Razah
READY MADE
REID Mary
RIZK Georgina
ROUMIEU Max
ROUTIER Mona
SAUBISSE Pierrette
SEFEB (*La Vie française*)
SEMBAT TOURISME
SIMON Gino
SINGER Daniel
SISSERIAN Berdj
SOCIETE DES EDITIONS PARISIENNES ASSOCIEES (*Minute*)
SOCIETE ECAT
SOCIETE FORMALITES SERVICES

SOCIETE FRANCAISE
D'INTERVENTION
ET DE GARDIEN-
NAGE
SOCIETE NORMANDIE
SOCIETE NOUVELLE
DES EDITIONS DE
L'EQUERRE
SOCIETE NOUVELLE
TAI
SOCIETE TRANSOCCI-
DENTALE
SURVEILLANCE ET
JARDINAGE

TANDLER Heide-Marie
(*ligne de Nicolas Tand-
ler, journaliste*)
TEYROUX-ROMAIN
Catherine
THIRIEZ Frédéric
VASQUAISES Piedade
VECTEN Blandine (*ligne
de l'avocat Mᵉ Antoine
Comte*)
VIDAL Jean
VIDLER Michaël
VIERNY Dina (*ancien
modèle du sculpteur
Maillol*)

Annexe III

Les écoutés de l'Élysée

Liste des personnes et des organismes écoutés à l'occasion de conversations avec « une cible » (les qualités indiquées entre parenthèses sont celles de l'époque ; les défaillances orthographiques éventuelles ont été conservées)

Abadie-Macrez Paulette
Abou Amar
Abou Walid
About Jean-Pierre (*journaliste*)
Abrant Gilles
Adèle Production
Aga Khan Karim
Agapes
Agnès Yves (*journaliste*)
Aguiere (SARL)
Ahbit Walid
AIDP
Ajamian Issai
Akbari Mohammad
Albertino Luis
Alco (*société*)
Alençon (d') Pierre
Allainmat Henry

Allard Patrick
Alliès Paul
Alliot Bernard
Amalric Jacques (*journaliste*)
Amey Sophie
Amini Babouk
Amirk Hosrovi Khosrow
André Jacques
Andreu Anne-Marie
Angeli Claude (*journaliste*)
Anrico Philippe
Antenne 2
Antoine Marc
Apkarian Kevora
Arbid Richa
Ariri Masic

Aristos libertaires (Les),
  (*association culturelle*)
Aron Jean-Paul (*écri-
  vain*)
Arrabal Fernando (*écri-
  vain*)
Arteman Véronique
  (*journaliste*)
Arthus Jean-Louis
Assemblée nationale
Assinter (*agence de
  voyages*)
Assistance Mutuelle
  Internationale
Association Lazaciteres
Association Radio Soli-
  darité
Association Sport et
  Tourisme
Assurance 2000
Athuil Gabrielle
Au Chariot de l'Isle
Aubert (d') François
  (*député*)
Aubert Nicole
Aubry Martine (*membre
  du Parti socialiste*)
Auerbacher Elisabeth
Aufauvre Didier
Auffray François
Augry Marie-Laure
  (*journaliste*)
Aujee Jean-Charles
Avice Marcel
Avicéenne (SARL)

Ayon Ilana
Azadeh Chafik
Azekry Dominique
Azzam Hoda
Bacelon Jacques (*jour-
  naliste*)
Bachir Cham
Bakhtiar Guy
Bakhtiar Patrick
Bal Jacques (*journaliste*)
Banque de Paris et des
  Pays-Bas
Baquet Françoise
Barbe Hugues-Vincent
Baretti Pierre (*journa-
  liste*)
Barillon Brice (*journa-
  liste*)
Barril Angélica (*épouse
  du capitaine Barril*)
Barril Paul (*officier de
  gendarmerie*)
Barrois Alain
Baruch Dora
Bashiri Heydar
Bashiri Siavah
Bassaine Bahaeddine
Batle Henri
Bauby Jean-Dominique
  (*journaliste*)
Baudelot Yves (*avocat*)
Baudi Jean
Baudis Dominique
  (*homme politique*)
Baudouin Jean-Claude

Baudrillard Jean (*écrivain*)
Bauer Denise
Bayarre Yves
Baynac Jacques
Bazille Patrice
Beau Jean-Michel (*militaire*)
Beaumont (de) René
Becourt Daniel (*avocat*)
Beketch (de) Serge (*journaliste*)
Belian Stéphane
Belloteau Jacques
Ben Fehrat Noredhine
Ben Saïd Daniel
Benattar Henri
Benfermat Fatima
Benoît-Lapierre Dominique
Bensimon André
Ber Stephanian
Bercher Jean-Pierre
Bercoff André (*écrivain*)
Berestiki Jacob
Berger Françoise (*journaliste*)
Berger Yves (*écrivain et éditeur*)
Bergougnoux Patrice (*préfet*)
Bernard Isabelle
Beroissard Lucien
Berrurière de Saint-Laon, Henri (de la)

Bertelin A.
Berthet Caroline
Berti Philippe (*journaliste*)
Berton Françoise
Besançon Alain (*journaliste et historien*)
Besnard André
Besset Jean-Paul
Bessière N.
Besson Alain
Beyer Natasha
Bianey Marius
Bidour (de) Sybille
Bient René
Bilgorai Jean
Bilossian Galoust
Bin-Mashari Mohamed
Blanchet Pierre (*journaliste*)
Blanqui Françoise
Blondeau Jean
Blondeaux Georges
Blouin Pierre
Bodelait Régine
Boggio Philippe (*journaliste*)
Bois Michel
Boisseau Yves
Boistel Barbara
Bokassa (*ex-empereur*)
Bollefou
Bonet Paul
Bongain (*père*)
Bonnard Philippe

Bonnechère Michel
Bonnemaison Gilbert
  (*député*)
Bonneriva Bernard
Bonnet Jacques
Bord Pierre
Bordier Jean-Jacques
  (*syndicaliste policier*)
Bortzmeyer Stéphane
Boss-Buro-Express
Botbol
Bothorel Jean (*journaliste*)
Boube-Hertuit-Grazillac
  Jean-Louis
Bouchard Agnès
Boucherie centrale
Bouet Alain
Bouin Jean-Pierre
Boujadi Andrée
Boujadi Mohamed
Boumalhb Adel
Bounaix Raymond
Bourgadier Gérard (*éditeur*)
Bourget Jacques-Marie
  (*journaliste*)
Bourgnon Anne-Marie
  (*collaboratrice de Bernard Pivot*)
Bourgois Benoît
Boussière Mireille
Boutang Pierre-André
  (*écrivain*)
Bouton Caroline

Bouty Marcel
Bouvert Michel
Bowjour Marie-Louise
Brackman Maria
Braun Georges
Bredin Jean-Denis (*avocat*)
Bredin-Jouanneau-Prat-
  Saint-Esteban (*cabinet d'avocats*)
Bredot Michel
Bref Pierrette
Bretson Jean-Pierre
Briançon Sécurité
Bricard Isabelle
Bridge Club de l'Etoile
Brincourt Christian
  (*journaliste*)
Briss Samy
Bro Jean-Marie
Brocard Véronique
  (*journaliste*)
Broglie (de) Frédéric
Broglie (de) Léa (*éditeur*)
Broussard Robert (*policier*)
Brugère Nicole
Bruguière Jean-Louis
  (*magistrat*)
Brunetto Nicole
Brusini Hervé (*journaliste*)
Bruyère André
Buchet Chastel (*éditions*)

Burgat Jean-Louis (*jour-naliste*)
Burglat Yves
Busson Christian
Cabine Téléphone
Cabioc'h Sylvie
Café des Sports
Café Pascot
Caillois R.
Callet Jean-Claude
Calzaroni Michel
Campos Juas
Canard enchaîné
Canonici Jean-Charles
Caprimo
Caratini Roger (*écrivain*)
Cardoze Michel (*journa-liste*)
Cartier Jan
Casalta Jean-Pierre
Castalian Michel
Casteuble Philippe
Castex Michel
Castro Françoise (*épouse de Laurent Fabius, Pre-mier ministre*)
Cau Jean (*écrivain et journaliste*)
Cavaillon Bernard
Cave Charlotte
Cazes Michel (*patron de la brasserie Lipp*)
Cazes Sophie
Ceccaldi Marcel

Central militaire du Camp de Cissonne
Centre culturel des Irlandais
Centre de rééducation et de perfectionnement Suzanne Mason
Centre médico-chirurgi-cal
Chalet de Vacances Tha-lia
Chami Patrick
Chammings Patrick
Champet Agnès
Chapaz Frédéric
Chaponnais Patrick
Chapuis Bernard
Charcklet Jacques
Chares Yazid
Charuel Marc
Chasez Fred
Chastel Hervé
Château des Bergeries
Chatek Claudine
Chatenay Philippe (*jour-naliste*)
Chauvière Bruno (*homme politique*)
Chavanne Sophie
Chemali Alain
Cheret Philippe
Chimelli Rudolph
Chinaud
Chioso Bernard Jean
Chopitel

Cioran (*écrivain*)
CIT-Alcatel
Clamape
Clau Régent
Claude Hervé (*journaliste*)
Clerc Christine (*journaliste*)
Clevenot Jacques
Clinique Marie-Louise
Cointreau Edouard
Col Philippe
Colardo James
Colin François
Collège américain de Paris
Collette Jean
Collin Gilbert
Colloredo Berthe
Colmont Yves
Colombani Jean-Marie (*journaliste*)
Colombani Marie-France
Comere René
Comité français Campagne mondiale contre la faim
Commandement de la gendarmerie mobile
Compagnie française des pétroles Total
Compagnie générale d'électricité

Conseil général du Val-d'Oise
Conseillers de Direction associés
Corda Christine
Cornu Francine
Cosra
Cossin (de)
Coti Jacqueline
Cotterelle Edith
Cottet Jean-Pierre
Cottin Iona
Couderc Anne-Marie (*député*)
Coudrier Gilbert
Courrège Jean-Christophe (*organisateur de combats de boxe*)
Courrégé Christine (*avocat*)
Courrégé Loste
Courte Alphonse
Courteys Alies
Cousseran Jean-Claude (*membre du cabinet ministériel de Roland Dumas*)
Coustin (de)
Couvri Pascal
CPE Vaugirard
Créa Guy
Crevier Isabelle
CVS Canal 5 Stores
Cypel Sylvain
Cyroilnik Alain

Dabrowski André
Dajac-Import
Dalielan Garobert
Daniel Jean (*journaliste*)
Daninaud Michèle
Dauduassoux Jacqueline
Davenas Laurent (*magistrat*)
Debhi Malike
Debru Jacques
Debu Jacques
Declippe Leir
Dedilaguine
Defrain Jean-Pierre (*journaliste*)
Del-Bucchia Jacques
Delaganet Françoise
Delaney Simone
Deleplace Bernard (*syndicaliste policier*)
Delhome Geneviève
Delian Jean-Luc
Delin Jean-Luc
Delord Michèle
Delormeaux Jean-Hugues
Delpont, commandant (*gendarme*)
Demeyendnerg Georges
Demézière Thierry
Demonrumi Jean-Maurice
Deniau Jean-Charles
Denoël (*éditions*)
Déon Michel (*écrivain*)

Deparanaqua Paolo
Derivot Mireille
Dernaucourt Catherine
Desforges Cécile
Destoop Y.
Deur Hamdoune
Devedjian Patrick (*député*)
Deverbizien Gérard
Devouassoux Jacqueline
Digitale Radio
Dillon-Corneck Robert
Dimitroff Ilian
Dinge Bertrand
Direction des Télécommunications du réseau national
DNED (direction nationale des enquêtes douanières)
Doat Pierre
Dob Danielle
Doche Marie-Lionel
Domas Marcel
Domergue Pierre
Dominati Laurent (*député*)
Don Camillo (*cabaret*)
Dordin
Dorian Simone
Doumeng Jean-Baptiste (*homme d'affaires*)
Dragane Radojvie Dragonite
Droit Michel (*écrivain*)

DST (Direction de la
  Surveillance du Terri-
  toire)
Duault Jean
Dubor Jacky
Dubost
Ducousset (madame)
Ducousset Richard (*édi-
  teur*)
Ducrot Alain
Duguay Jean-Philippe
Dulac René
Dumarest Jean
Dupont Jacques
Dupré Bernard
Duprey-Denys
Dupuy Ch.
Durand Georges
Durand Olga
Durbiano Jean-Pierre
Duret Philippe
Durieux Jean
Duroy Lionel (*journa-
  liste*)
Durot Behy
Dussard Thierry (*journa-
  liste*)
Dutertre Patrick
Dutheil de Larochère
  (*proche de Jean-Pierre
  Chevènement*)
Dutourd (madame)
Dutourd Jean (*écrivain*)
Ecole des hautes études
  en sciences sociales

Ecorcheville Gérard
  (*proche de Charles Pas-
  qua*)
Egor (société)
El Bonn Bechara
El Khoury Farid
El Khoury Simone
El Masri Leila
Equerre Jean-Claude
Escale (L')
Eskenazi Franck (*jour-
  naliste*)
Esmenard Francis (*édi-
  teur*)
Espace 1901-Radio dif-
  fusion
Esquivié Jean-Louis
  (*gendarme, membre de
  la cellule élyséenne*)
Etisier Monique
ETPM
Euro-Paris Conseil
Europe 1
Evénement du Jeudi
Evin Kathleen (*journa-
  liste*)
Fab & Co (*éditions*)
Fabius Laurent (*Premier
  ministre*)
Faizant Georges (*dessi-
  nateur*)
Falavigna Raymonde
Falcon Laetitia
Falcoutchi Antoine
Falk Judith

Farel Alain
Farkas-Gui Radica
Farrokh Moshem
Farwati-Bakri Mohamed Ali
Fasquelle Jean-Claude (*éditeur*)
Fatemi Ali
Fay Catherine
Fédération autonome des Syndicats de police (FASP)
Feld Henri
Félix Jassir
Fergus Jean
Ferron-Clebsattel
Ferry
Fetas Jean-Luc
Feuilly Pierre (*journaliste*)
Fiaschi Nicole
Ficher Ruth
Filloux Frédéric (*journaliste*)
Fixot Bernard (*éditeur*)
Flattres Jean-Louis
Fleuri Alain
Fleury Jean-Claude
FNAC
Fodefroy Pierre
Fontaine André (*journaliste*)
Fontaine Janine
Fontaine (Mme) (*épouse d'un otage au Liban*)

Fontbonne Jean-Marie
Forestier Carole
Fornari Roland
Foulon Dominique (*magistrat*)
Fournier Claude
France 3
France Route Garage
France-Démocratie
France-Soir
Franck Bernard (*écrivain*)
Franck-Forter Joseph
Fréquence Services
Frisoni Jacques
Fromentin André
Gaillard Anne (*journaliste*)
Gaillard Michel
Galante Roland
Galard (de) Hector (*journaliste*)
Galipapa Anne-Valérie
Galipapa Franck
Gallois Françoise
Cavallini (*avocat*)
Garcin Jérôme (*journaliste*)
Garier Ginette
Gassot Philippe (*journaliste*)
Gaucher Roland (*journaliste et homme politique*)
Gaudefroy Christian

Gaudillat Jacqueline
Gaudron (*journaliste*)
Gaume Pierre
Gauthier Alain
Gay Françoise
Gazan Nicole
Gelbart Estelle
Genet Claude
Genthial Jacques (*policier*)
Gérard Catherine
Germain Francis
Gibel Marie-Christine
Gicquel Bernard
Gicquel Thierry
Giesbert Franz-Olivier (*journaliste*)
Gilleron Pierre-Yves (*policier, membre de la cellule élyséenne*)
Giraud René
Glaezert-Bertillon Georgine
Godfrain Jacques (*député*)
Gofignon Simone
Gommy Yves
Gondre Henri
Gorzkowski Jean-André, dit Jean Tagnière (*journaliste*)
Got Viviane
Got Yves (*dessinateur*)
Goudekett Laurent
Gour Claude

Gourichon Odile
Grande Loge nationale française
Gredler
Grellier Claude (*magistrat*)
Greussay Dominique
Grillet Pierre
Grossouvre (de) François (*proche de François Mitterrand*)
Grumelart
Grunberg Elisabeth
Grymbert Michel
Guerrero Benedicto
Guillemin Anne-Marie
Guillerm Alain
Guillez Isabelle
Guinard Claude
Guingoin Georges
Guire Evelyne
Guyot Bernard et Carole
Habib Bouguerba
Hadjenberg Henri (*avocat*)
Haenic Paul
Hail Timal (de)
Hallier (*père*)
Hallier Jean-Edern (*écrivain*)
Hallier Laurent (*frère*)
Hamel Gilles
Hamina Lakdar
Hamon
Harbib Walid

Harcourt Amaury (d')
Harema Edouard
Haremza Edouard
Hariri Birasik
Hariri Rafic (*homme politique libanais*)
Harmel Françoise
Hassan Salim
Hassan-Cohen Abraham (*avocat*)
Haton Denis
Havas
Haye Francine
Hayoun Erik Victor
Hazard Joëlle
Hegelauer Alain
Heidar Assad
Heker Jean-Claude
Helvig Jean-Michel (*journaliste*)
Henaud Martine
Heraud Guy
Herbert Marko
Hernu Charles (*homme politique*)
Herszhowicz Hedjnan
Herzog Gilles
Higgins Jean-Claude
Hocquenghem Guy (*écrivain*)
Hohhman Eisig
Hôpital de la Pitié Salpêtrière
Hôtel de la Paix
Hôtel de La Tremoille

Hôtel George V
Hôtel Montcalm
Hôtel Ô Saisons
Hottiaux Hélène
Houdoyer André
Hubaud Nadine
Huismann Denis
IGFI International
Imbert Raymond
Immométropole (établissements)
Imprimerie de Persan
Institut d'Histoire sociale
Institut national d'études démographiques (INED)
Iran Va Jahan
Isaid Mouna
Issa Mahmoud
Issartel Fabienne
ISTC
Istrati Alexandre
Jacquard Roland (*journaliste*)
Jade Reli
Jagot Danielle
Jagot Joëlle
James Patrice
Janin François
Janson Nicolas
Jaubourg Franck
Jegat Bernard (*affaire des Irlandais de Vincennes*)

Jelen Christian (*journa-
liste*)
Jèze François (*éditeur*)
Jobert Michel (*homme
politique*)
Jodel Jean
Joëlle Marie
Jonchay (du) Gilles
Josseaume Tristan
Josselin Arlette
Jouault Georges
Journal de l'Orne
Jouveau du Breuil
Jouvin Catherine
Jouvin Christine
Joyez Gilbert
Jullian Marcel (*journa-
liste, écrivain*)
Julliard Jean-François
Jullien Annick
Jullien Vincent
Junqua Daniel
Kaci Catherine
Kahn Jean-François
(*journaliste*)
Karleskil Jean-Luc
Kassel Michel
Kavoussi Mehdi
Kazuto Morishita
Keenan Chantal
Kellens Fabrice
Kertechian Sterak
Kez Mohamed
Khardalian Suzanne
Khatcheressian Ichklan

Kiplene Pierre
Kiss Andréi
Klahn Hervé
KO Société
Korcarz Alain
Korcarz Joseph
Korganoff Alexandre
Koski Albert
Krivine Alain (*homme
politique*)
Krop Pascal (*journaliste*)
Kuffeci Nurettia
Kusperman-Mathex
La Cuillère en bois
La Gazette
La Lampe d'Aladin
La Maison du Jouet
Labourdette Jean-
Claude
Labrouche Evelyne
Lacan Jean-Marc
Lafaille Danielle
Lafargue Bertrand (de)
Laffont (de) Heudes
Lafolie Eliane
Lafosse Anne-Marie
Lalo Corinne (*journa-
liste*)
Lambert Christian
Lamoisière Isabelle
Lancien Yves (*député*)
Lancret Pierre
Lancri Georges (de)
Lanfrois Dominique

Languemann Anne-Marie
Lanzi Jean (*journaliste*)
Lapousterle Philippe
Larminat Pierre (de)
Lathière Claude
Lauckmann Anne-Marie
Laude Yannick
Laudinet Renée
Lauret Jean-François
Laval Michel
Lavilliers Bernard (*artiste de variétés*)
Le Baron (*club*)
Le Borgne Jean-Yves (*avocat*)
Le Bouc Janine
Le Bourgeois Philippe
Le Jasmin
Le Monde
Le Nagard Yannick
Le Nouvel Observateur
Le Petit Matignon
Le Relais Friedland
Le Tac
Le Temps public
Le Touze Marcelle
Lebigue Raymonde
Lebrat Gaston
Lechevalier Jean-Marie
Lecompe Claude
Ledru Philippe
Leenhardt Gilles
Lefèvre Jacques

Legendre Bertrand (*journaliste*)
Legendre Joëlle
Legorjus Philippe (*gendarme*)
Legros Jacques
Leibel Joachim
Lemaire Philippe (*avocat*)
Lemarchand Pierre (*avocat*)
Lenour J.C.
Leroy Marcel
Les Amis de Jean-Paul Kauffmann
Les Imprimeurs libres
Les Relations publiques administratives
Lesieu Gérard
Letellier Hervé
Levis Jonathan
Levy-Willard Annette (*journaliste*)
Levy Thierry (*avocat*)
Libération
Librairie A Tout Livre
Librairie Larousse
Liger Roland
Lissonet Alain
Logeart Agathe (*journaliste*)
Loiseau Madeleine
Lombardi Huguette
Lombardo Juan Carlos
Lopes José

Loudmer SCP
Louis-Sydney Hubert
Louyot Alain (*journaliste*)
Lucas Jean (*policier de la DST*)
Mac Kaize Arthur
Macchiesi Michel
Macé Jacques (*journaliste*)
Macia Odette
Macif
Mad Nango
Madelin Philippe (*journaliste*)
Magondeaux Rambaud Hélène (de)
Mahé Patrick (*journaliste*)
Mahé Pierre
Mairie Bréval (78)
Mairie-Cellule Marseille
Maison Michel
Malard Christian (*journaliste*)
Malet Emile (*journaliste*)
Mamère Noël (*journaliste*)
Mandarine Pub
Mandelbaum Jean
Mangetout Pierre (*journaliste*)
Mansau Serge
Manzole Jean
Marchand Alain

Marchand Martine
Marciano Lucien
Marcojour Thomas
Marcus Michel
Mariani (*avocat*)
Markovits Jean
Marot Michel
Maroue Mohammed
Mars Patrick
Marsaud Alain (*magistrat*)
Martens Jean-Luc
Martin Claude
Martin Hervé et Sahakian Marie-Virginie
Martin Rémy
Mary Daniel
Massée Michel
Massoco Michel
Masson Claude
Mathias Serge
Matteye Bendimane
Mauger Gérard
Maurice Jean-Paul
Maximilien Jean-Baptiste
Mazurier (*avocat*)
Melchior Jean
Mellet Christian
Ménage Gilles (*directeur adjoint du cabinet de François Mitterrand*)
Menestrey Danielle
Menigan Sylvie

Mercadier Marthe
(*comédienne*)
Mercier Jean-Maurice
(*journaliste*)
Mercury (*colonel*)
Merendon Jacques
Merlet (madame)
Merlino Jacques (*journa-
liste*)
Meunier Claude
Meyer Roger
Mezeraani Maha
Nick Christophe
Millot Paulette
Minet Jean
Ministère de l'Agricul-
ture
Ministère de l'Intérieur
Ministère de la Justice
Minute
Miquel Pierre (*historien*)
Mobilier national
Montariol Georges
Montoya Astrid
Moreau Charles
Moreau Robert
Moreno Danielle
Motchane Didier
(*homme politique*)
Motorola
Mouala Ibrahim
Mougins (de)
Moulin d'Andé
Mourret Philippe
Moyne Myrope

Mrove Tarek
Muller Claude
Muller Francis
Musée d'art moderne
Musée d'Orsay
MVM International
N'Guyen Stéphane
Naigeon Christian
Nabe Marc-Edouard
(*écrivain*)
Naïr Sami
Nasry Amal
Nasser Mohamed
Naudot Lydie
Navarro José
Naville Claude
Negroni (de) François
Neuhoff Eric (*écrivain*)
Neigel Jacques (*ligne de
l'ancien député Henri
Modiano*)
Nellebi Mme (*diplomate*)
Neves Maria
Nikravetch Mehrad
NMPP (Nouvelles Mes-
sageries de la Presse
Parisienne)
Noine Faramaz
Nolan Mall
Noret Anne-Marie
Nourry Jean-Claude
Nouvel Observateur
Novat Florence
Nowaffak Tinawi
Nuzen Branva

Octobre Huguette
Ofborn Lise
Ofema
Offredo Jean (*journa-
    liste*)
Oger Armelle (*journa-
    liste*)
Oger International
Ohr Kollel
Ohr Merkaz
Omodi
Orado Patrick
Ormesson (d') Jean (*écri-
    vain*)
Oru Serge
Osmadjian Garabet
Ouazana Simon
Ouest France
Paccard Pierre
Padirac Alain
Pagni Robert
Paillard Bernard
Pajuheche Mabjlessi
    Azarkht
Panhard Yves
Panon Xavier
Paoli (de)
Paoli Ange-Marie
Parent Corinne
Parise Corinne
Participation Edition
    Presse
Parvine Nasser Eddine
Pasc Ham-Farhng

Pasqua Charles (*homme
    politique*)
Pastor Jean-Philippe
Pathé Marconi
Paturaud Catherine
Paucard
Pauvert Jean-Jacques
    (*éditeur*)
Pauwels Louis (*écrivain,
    journaliste*)
Péan Pierre (*journaliste*)
Pech Anita
Pelleray-Prat Bernard
Pena Gilbert
Penard Raymonde
Pereire André
Peretti Dominique
Perier Alice
Périmont Guy (*proche de
    Pierre Joxe*)
Perrin de Brichambaut
    Marc (*directeur adjoint
    de cabinet de Roland
    Dumas*)
Petit G.
Petrich Lucette
Pfister Thierry (*membre
    du cabinet de Pierre
    Mauroy, puis éditeur*)
Phonogram
Picollec Jean (*éditeur*)
Picourt Patrick
Pietri Jean-Christophe

Pilhan Jacques (*conseiller de François Mitterrand*)
Pimhaskashi Shavish
Pinatel Jean et Larralde Dominique
Pinelli Jean-Pierre
Pingeot Anne
Pinheiro José (*cinéaste*)
Pinto José
Piomboni Octave
Pivot Bernard (*journaliste*)
Plavac Andgelka
Plebani Eric
Plenel Edwy (*journaliste*)
Pleoux Alain
Ploquin Frédéric (*journaliste*)
Poirier Alain
Pons François
Pontaut Jean-Marie (*journaliste*)
Pouchin Dominique (*journaliste*)
Pouplot Mario
Pouyane Hervé
Prat Louis-Antoine
Préfecture de Laval
Préfecture de Police (de Paris)
Préfecture des Hauts-de-Seine
Préfecture du Val-de-Marne

Prensa Latina
Présent
Présidence de la République
Présidence de la République, Château de Souzy-la-Briche
Présidence du Conseil, Premier ministre
Presses Universitaires de France
Provost Alain
Publication libre
Pudlowski Francis (*avocat*)
Quéffélec Marc
Quennouelle Guy
Quotidien de Paris
Radio 98,8
Radio France
Radio Fréquence Montmartre
Radio Mouvance
Radio Pays Basque
Radio Service Tour Eiffel
Radio Taxi
Radjavi Aleh
Raimbault Jean-Marc
Ralli Jean-Pierre
Ramdani
Rancé Pierre (*journaliste*)
Randall Margaret
Ratier Emmanuel

Rautet Jean-Pierre
Rayonnement du livre
Rémilleux Jean-Louis
  (*journaliste*)
Renard Hélène
Renaudin Nelly
Renault
Renault-Sabonnière
  Sabine
Renn-Production
Renseignements géné-
  raux
Repiquet Yves (*avocat*)
Ressian Pierre
Restaurant Félix
Restaurant Lipp
Reuter (*agence de presse*)
Revérier Jean-Loup
  (*journaliste*)
Revillon Edwige
Revise Jacques
Rhalafian Albert
Rheims Maurice
  (*commissaire priseur,
  écrivain, académicien
  français*)
Ribes Jean-Pierre
Ritter André
RMC
Robbe René
Robert Alain (*homme
  politique proche de
  Charles Pasqua*)
Robert Philippe
Robin Monique

Rochefoucauld (de la)
  Sylvie
Roger André
Rolier Catherine
Rollat Alain (*journaliste*)
Rondeau Daniel (*journa-
  liste*)
Roquemaurel (de)
  Gérald (*presse
  Hachette-Filipacchi*)
Rosenfeld Jean-Marc
Rosier Josiane
Rosigneux Brigitte
Rossini Brigitte
Rouget Henry
Rouget Richard
Rouleau Eric (*ambassa-
  deur*)
Routhier François
Rovira Emmanuel
RTP Service Technique
  Entretien
Rubin Georges
Rubin Samuel
Ruiz Jean-Jacques
Ryan Louis
Sadr Ameli Ahmad
Saidi Ali
Saint-Bris Gonzague
  (*écrivain*)
Saint-Martori
Sainte Borodis
Sajovic Eli
Sakai Zora

Samaha Michel et Gladys
Samir Abdou
Samuel Yvon (*journaliste*)
Sanmarco Philippe (*député*)
Santekowski Pierre
Saphir Chacha
Sarl SNRC
Sarre Georges (*homme politique*)
Sas
Sauvageot Jacques
Savigneau Josyane (*journaliste*)
Sayonoff Antoine
Schalbar Bernard
Schiffres Alain (*journaliste*)
Schoeller Guy (*éditeur*)
Schroeder Eric
Schuller-Werner
SCI Clichy
SCI Vezelay Monceau
Sciard Alain
Sedjat Mohamed
Séguela Jacques (*publicitaire*)
Seguy Michel
Seiler-Berep
Seknadje-Askenaze José
Sénat
Sergent Pierre (*homme politique*)

Serri Jocelyne
Seta Paul
Seurat Marie
SFP et Création audiovisuelle
SGAP
Shagon Christian
Sigaut-Cornevaux Christine (*avocat*)
Sima Idriss
Simon Michael (*dialoguiste*)
Simonnian Jacques
Simon Martin
Sinet Catherine (*journaliste*)
Siripolic Milutin
Sisserian Hratch
Sitbon Guy (*journaliste*)
Smit-Murray
Schmitt Jean (*journaliste*)
SNCF – Sud-Ouest
SNES
SNPP
Socpresse
Société Aubel
Société Coccinelle
Société de presse et de communication
Société Delhomme et Compagnie
Société des Monts du Lyonnais

Société des presses nou-
velles
Société Fischer Contrôle
SA
Société Formalité Ser-
vices
Société française d'hy-
giène
Société française des
supermarchés
Société générale de
presse et d'éditions
Société générale de sur-
veillance et d'investi-
gations
Société Lorget
Société Secrets
Société Télé Micro Ser-
vice
Société Tip Top
SOFMA
Soleirol Paul
Sollers Philippe (*écri-
vain*)
Solot F. (*journaliste*)
Sorin Raphaël (*éditeur*)
Sorlo Bertrand
Soudoplatoff Cyrille
Soulez-Larivière Daniel
(*avocat*)
Soulier Jean-Claude
Soumagnac Olivier
Sous-préfet d'Argentan
Soyer Jean-Claude

Sportès Morgan (*écri-
vain*)
Square (éditions du)
Staad Martial
Steve
Stobenicier Charles
Storti Martine (*proche de
Laurent Fabius*)
Stradust Pierre
Strangberg Eleonor
Sud Adress Société
Suhodolsky Michel
Sulitzer Paul-Loup (*écri-
vain*)
Sum-Advertiser
Szenberg Jean
Szpiner Francis (*avocat*)
Tainguy (de) Robert
Taousson Jean
Tarnero Jacques
Tartakowski Salmon
Tatjer Norbert
Tawil Simon
Tchertchian Krikor
Techkhoff Serge
Teixeira Jacques
Télé Micro Services
Tellier Jacques
Tenin Gilbert
Terzian Boghos
Texier Marcel
Théret Max (*homme
d'affaires*)
Theuil
Thomson CSF

Thoral René
Thys Olivier
Tillenon Jean-Pierre
Tillinac Denis (*écrivain*)
Tillier Jacques (*journaliste*)
Tirouflet Caroline
Thoraval Armelle (*journaliste*)
Touchard Raymond (*historien*)
Toufi Abdallah
Tour Maine Montparnasse
Tracin Simone
Travail Jacques
Travil Maurice
Trey Pierre
Tubiana Jean (*avocat*)
Turquois Marie-Christine
Tutti-Frutti
UGIMO
UIF
Ulmann Martine
Unedic
Unipool
Université de Paris VI
Urbin Martine
Valière Jean
Vallaeys Béatrice (*journaliste*)
Valle Jacques (*avocat*)
Vallon Bernard

Van Lier Dominique (*éditeur*)
Van Lier Jean-Marie
Vanier Pascal
Varsaux Szlama
Vassilieff Michel
Vautrey Bernard (de)
Vautrey (*général*)
Veillet Lavallée Bernard (*journaliste*)
Venex Marie-Claude
Verague Jean
Verbizine (de)
Vercelin Annick
Vergès Jacques (*avocat*)
Vergniole Christian
Verleene Alain (*magistrat*)
Verneil Françoise
Veux Raymond
Vidal Jean
Video Maman
Villanova Antoine
Villemain Brigitte
Virieu (de) François-Henri (*journaliste*)
Voix du Lézard
Vouzelle Xavier
Warner Puelcho
Weber Henri (*homme politique*)
Weber Louis
Weill Nadine
Wermus Paul (*journaliste*)

Wiltzer Pierre-André
  (*député*)
Winn David
Wissoche Michèle
Wolff Maria
Wolfrom Daniel (*écri-
  vain*)
Wolton Thierry
Wureau (de) Catherine

Ya-Hala
Yaghi Edmond
Yves Christian
Zaluski Jean
Zarade Chantal
ZDF
Zeeny René
Zeina
Zenou Michel

Annexe IV

Le fichier « Kidnapping »
(voir chapitre deux)

Le fichier « Kidnapping » centralise toutes les personnes ou les organisations qui ont été en contact avec l'écrivain Jean-Edern Hallier. Chaque nom correspond à une fiche sur laquelle figure une série plus ou moins longue de numéros qui sont autant de références à des comptes rendus d'écoutes. Nous avons respecté l'orthographe (souvent phonétique) des noms et des prénoms retenus par la cellule élyséenne, sauf dans les cas d'erreurs manifestes. Les annotations entre parenthèses figurent dans le fichier original.

Abellio Raymond
Académie française
A.D.A.S.
Agfa Gevaert
Agnès Yves (*Le Monde*)
Aignan Christian
Air France
Alban
Albertini Michel
Albin Michel
Alençon (d') Benoît
Alouette FM
Amouroux Henri
Andréi

Angel
Anita
Anquiri (*AFP*)
Antenne 2
Aragon
Aragon (d') Marie Christine
Arbogost
Arnaud Michèle
Arnault Jean Louis
Arnoult Erik
Arrabal Fernando
Aubert
Aubry Alain

Augry Marie-Laure
Ayache Alain
Bacelon Jacques
Badinter Robert
Baillet (Mme)
Bakayoko
Baleine (de) Philippe
Balenci
Balland
Banouine
Barbier Sylvie
Baretti Pierre (France Inter)
Barnat (ou Bernad) Philippe
Barre Raymond
Barrière Corinne
Barril Paul
Baudrillard Jean
Baumann (NMPP)
Beaudemont Carole
Beigne Bernard
Belfroid Jacques
Benaich Gilles
Benet Vanjia
Benamou Georges-Marc
Ben Jelloun
Benaceur
Benoît Eric
Benoît Jean-Marie
Beraud Bernard
Bérégovoy Pierre
Berger Alain
Bercoff André
Berline Jean-Claude

Berling
Bernert Philippe
Bertoin
Boggio Philippe
Boisson (Dr)
Boitel
Bolloré Gwenael
Bondont
Bordas
Bos Bernard (Le Vert Galant)
Bossi Georges
Bothorel Jean (*Figaro*)
Bouchet (Transports)
Boudeket Laurent
Boudou (de Bruxelles)
Bongain (Christian de)
Bounine Jean
Bourdier J.
Bourel André-Guy
Bourgadier Gérard
Bourgeade Pierre
Bourgès-Maunory Maurice
Bourgine Raymond
Bourgoin (de)
Bourinat Philippe
Bousquet Jean
Bouzerand Jacques
Brebard
Bredin Jean-Denis
Bret
Brouet
Bry Jean-Yves
Buisson Patrick

Bumat
Burgi Nicolas
Byk Yan
Cailia Pierre
Caillois Roger
Caminot Michel
Caradech
Caratini Roger
Carazo Fabrice
Cardin
Cardoze Michel
Caron Gilbert
Castellane (de)
Caster Sylvie
Castro Françoise
Castro Roland
Cau Jean
Cavana François
Cazas Simon
CERES
Cerf Muriel
Chabrol Claude
Chalais François
Chapel
Chapirot
Chassigneux Pierre
Chatelet Gilles
Chauffier Gilles-Martin
Chauveau Claude
  (*Minute*)
Chavanis Christian
Cherquaoui
Chevalier Anne
Chevanne Maxime

Chevènement Jean-
  Pierre
Chicaneau
Chirac Jacques
Chirbec Samuel
Claisse Guy (*Le Matin*)
Clément Catherine
Clos Max
Cogedi Roger
Collard Gilbert
Coleta Antoine
Colin-Simard Annette
Colliard Anne
Colliard Jean-Claude
Colombani Christian
Colombani Jean Marie
Colombier (Virginie de)
Commissariat (homme
  X)
Commissariat 4e
Composcopie
Compo Relais
Correspondance de la
  Presse
Corrèze
Coston Gilberte
Coston Henri
Coudert (Inter Forum)
Coullerez
Coupry François
Courtade Jean
Courteuil Fabienne
Courtine
Coutant-Peyre Isabelle
Cresson

Crochet
Crosnier Michel
Curry A. (voir Jean-
    Marc)
Dacty Location
Dahuron
Dalla Torre Claude
    (Dame X)
Dalle Bernard
Dalle François
Dalle Geneviève
Dame X
Danin Philippe
Daragon Joseph
Daragon Marie-Chris-
    tine
Daragon Sylvie
Dassas Evelyne
Daubigny
Daudin Noël
Dayan Josée
De Beketch Serge
Debouge
Debré Michel
Debrosse Marie-Thérèse
Decup Lucien
Decastlelane Jean
Deganet Françoise
Degelle Laurence (Lettre
    A)
Dehaux
Delahaye Christian
Delalande
Delamarre Alexandre
Delanurien Colonel
Delarminat Pierre

Delatre Françoise
Delitte Pierre
Delivoix René
Delors André
Dely Pierre
Denegoni Dominique
Denière Gaston (BFA)
Denoël
Denvers Alain
Depusset Jean
Deschamps Antoine
Descours
Dessinateur
Deville Pierre (*Magazine
    Hebdo*)
De Villiers Gérard
Didier (collaborateur de
    Seguéla)
Didier Léontine
Dimitrievitch
Discostanzo
Dispot Laurent
Divisien (ou Divisia)
Docteur
Dodanoff
Dorpsy (transports)
Doumeng Jean-Baptiste
Dreyfus Gilles
Droit Michel
Dubaille Jean-René
Ducousset Richard
Duhamel Nathalie
Dumas André
Dumas Gérard
Dumont Emmanuel

Dumont Jean
Dupont
Dupuy-Canton
Duquesne
Durand Alain
Durand Guillaume
Durieux Jean (*Match*)
Duriez Cost (Imprimerie
  Figaro)
Dutourd Françoise
Dutourd Frédéric
Dusseo Jean-Pierre
Durieux Claude
Duros Betty
Duvivier Catherine
Echolet
Ecole normale supé-
  rieure
Ecoutes téléphoniques
  (matériel)
Edgar
Editions *Idiot Internatio-
  nal*
Edwige (*Paris Match*)
Eleski Patrick
Ellenstein Jean
Helvig Jean-Michel
Elysée
Emler
Employé X
Eskenazi Franck
Esquivié Jean Louis
Esmenard Francis
  (Albin Michel)
Esther (d') Anne

Estier Claude
Europe 1
Fabiran Halevy
Fabius Françoise
Fabius Laurent
Falchi (Compo Relais)
Faizant Jacques
Falavigna Henri Michel
Fallois (de) Bernard
Faucher Jean-André
Faure Edgar
Favre Maurice
Fedel Pierre
Femme X
Femme Y
Ferrant
Feraud Louis
Ferenczi Thomas
Ferry Eric
Feuilly Pierre
Ficher Clara
Figueras André
Filleu Patrick
Filloux
Flamant
Flech Yves
Fleury Jean-Claude
Florence
Foitim Omar
Fontaine Laurent
Forget Jacques
Forget Madeleine
Foucard Ariane
Fourcade Marie-Made-
  leine

Fouchereau Bruno
Fourgeaux Malika
  (ministère de la
  Culture)
Fournier Pascal
FR3 Rennes
France Rhodes
François
Françoise
François Michel
Franz
Frappat Bruno
Fréchard Daniel
Frédéric
Fromat Imprimeries
Gabet Georges
Gabiot Danielle
Gabray
Gadiout André
Gaillerain Christian
Galle André
Gamma
Game (Emancipatrice)
Ganey Françoise
Garcia (Mme)
Gareta Anne
Gaston
Gatignol (*Minute*)
Gautier Jean-Michel
Gavrel Robert (Imprime-
  rie Huma)
Gavi Philippe
Gel Annick (*Pariscope*)
Gelobter (*Le Quotidien*)
Gentil Michel

Georges
Gérard
Gérard Michel
Germain Marie
Gervais
Getto (Offset)
Giannoli Paul
Gilles
Giniest Michel
Giradu
Girofle Pierre-Marie
Giroud Françoise
Giscard d'Estaing Valéry
Giscard d'Estaing Henry
Giscard d'Estaing Fran-
  çois
Glavany Jean
Goldberg (de Genève)
Gole Marion
Gonzague
Gorzkowski Jean
Goudaud Jean-Claude
Goudekett Sanda
Goumet Marie-Laure
  (Denoël)
Grapin Jacqueline
Greilsamer Laurent (*Le
  Monde*)
Grellier
Gress Gilbert
Grossouvre (de)
Grimaldi
Griotteray Alain
Guegin Jean-Paul (FR3
  Rennes)

Guérin Philippe
Guillard Bernard
Guillaume
Guillon
Guimard
Guina
Guinodo Henri
Glucksmann André
Gust Emmanuel
Guy Christian
Guy Michel
Guyon
Hackert Vincent
Halimi André
Hatot
Helbert Frédéric
Helvig Jean-Michel
Hennion Chris
Hérissey Paul-Arnault et
    Charles
Hernu Charles
Hersant Robert
Homme X
Huysmans Denis
Imbert Claude
Imogène
Iomy Jean Paul (*Matin*)
Isabelle
Isorni (maître)
Issartel F (*Actuel*)
Jacqueline Philippe
Jacques
Janin François
Jacquard
Jean

Jean-Baptiste
Jean-Claude
Jean-Jacques
Jean-Marie
Jeanneney
Jean-Pierre
Jenny
Jerôme
Jeune fille X
Joseph
Jouhaneau Anne-Cathe-
    rine
Jourant (*AFP*)
Joxe Pierre
Joy
Joyaux Philippe
Julliard
July Serge
Katy
Keljmann Michel
Kerfanto Marcel
Kerrebourg
Keystone
Kouchner Bernard
Labezière Richard
Lafon Michel
Laly
Laloyère (de) Arlette
Lamb Imogene
Lamory Anne-Marie
Lamy Jean-Claude
Lang Marie-Luce
Lara
La Suisse (journal)
Latort Claude

Laudenbach Roland
Laurens André
Laurent Jacques
Lebris Michel
Lecardonnel Philippe
Leclerc Bernard
Leclerc Edouard
Leclerc Michel
Lefebvre Alain
Lefebvre Fernande
Leganet Françoise
Legarec Marcel
Legendre Bertrand
Lelong Brigitte
Le Luron Thierry
Le Meilleur
Le Matin
Lemoine Yves
Lenfant
Lentz Serge
Le Pen Jean-Marie
Lepetit Marcel
Le Pichon Yann
Le Pras (NMPP)
Letirilly Yves
Lettre A (journaliste)
Leroy Roland (*Huma-
    nité*)
Levau-Vallier Denise
Lever Maurice
Levy Patrick
Libération
Ligier Guy
Lionel (de *Libération*)
Lisbeth

Locuty Jean
Lombard René
Louis
Machefer Jean-Claude
Madelin Alain
Magiori Claude
Magnus André
Maligner Gisèle
Malika
Mallet Emile
Manceron Claude
Manœuvre Philippe
Marc
Marchand Isabelle
Marché de France
Marco Thomas
Mareine
Marie Laure (*Echo des
    Savanes*)
Marie Thérèse
Marion Georges
Marko Herbert
Marmin Michel
Mars Christian
Martin Hervé
Marty
Match (une sténo)
Mathieu Alain
Matignon
Matzneff Gabriel
Maze Jean
Ménage Gilles
Ménager Chantal
Mendès France
Merlino Jacques

Merou (Société Inter-
  press)
Mexandeau Louis
Maimet Georges
Michèle
Michel François
Michelot Mme
Milan Betty
Millet Gilles (*Libération*)
Mimeran Jacques
Ministère de l'Intérieur
Ministère des P.T.T.
Minute
Miot Jean
Mitterrand Edith
Mittolini François
Moisan Armelle
Mollard
Mollet Guy
Le Monde
Morange Jacques
Moreau Jean-Marc
Morvan
MPJ
Muller Gérard
Muray Philippe
Mussard Simone
Narade (*AFP*)
Nathalie
Naudin Marie (*Grand
  Livre du mois*)
Nay Catherine
Nerascou
Neyret Jules
Neza François

Nicolas
Nicole
NMPP
Nouara
Novat Pierre
Odette
Offprint
Olivier
Oppenheimer Edgar
Oriach
Ormesson (d') Jean
Orofino Pierre
Oswald (Nouvelles Edi-
  tions)
Ousset Nadia
Ozinda Marie-France
  (*AFP*)
Papegay Marie-Claire
Parent
Le Parisien
Pascal
Pasqua Charles
Patrick Patrice
Pauvert Jean-Jacques
Pauwels Louis
Perrimont Guy (Cabinet
  Joxe)
Peroni (Compo Relais)
Perot Luce
Perroncel Jean Pierre
Pesquet Robert
Pessis Jacques (*Parisien
  Libéré*)
Peyrefitte Mme
Pfister Thierry

Fillipachi
Philipon
Philippe
Picard René
Picollec Jean
Piedade
Pierre
Pierre Claude
Pietri Robert
Pil
Pinquier Jean
Pironi
Pivot Bernard
Planchon Jean-Paul
Planchou Nathalie
Plenel Edwy
Plis
Plougastel Yann
Plunkett (de) Patrice
  (*Figaro*)
Poivre d'Arvor Patrick
Polac Michel
Poniatowski
Porquet Mme
Powell Nicholas
Promap (Société)
Prigent Henri Claude
Prouteau Christian
Le Quotidien de Paris
Radio Alouette
Radio Gilda
Radio 7
Rambaldi Georges
Rambaldi Guy
Rambaldi Yves

Ransson Olivier
Rapp Bernard
Ratier Emmanuel
Rauffer Xavier
Raveau
Ravenne A.
Raymonde
Rémilleux Jean-Louis
  (*Le Quotidien*)
Remo Patrick
Renaud Philippe
Revel
Reynes P.
R.G.
Richard
Rieux Jean-Claude
Rigaud (Roto France)
Rivier Patrick
Rizzi Patrick
Robert
Rocher Lisbeth
Rochino Pierre
Rodes Axel
Roger
Roland
Rollat Alain (*Le Monde*)
Rondeau Daniel
Rosben (ou Rostaing)
  Patrice
Roto France Impres-
  sions
Roto Paris
Rouard Jean-Marie
Rouche (de Toulouse)
Rousse

Roussel Jean-Claude
Rousselet
Rouzet Guy
Rukmann Anita
Sabatier Robert
Sadi
Salasque (FR3)
Salignac Denis (*FS*)
Salisbury
Sami
Sana
Sarraute Claude (*Le Monde*)
Sarazin Michel
Sauvageot Jacques
Savier Jean-Louis
Sechet
Secrétaire de Vergès
Seguéla Jacques
Séguin Philippe
Sénat
Serge
Sérillon Claude
Servan-Schreiber
Sève Lucien
Shirmbeck Samuel
Shuller Didier
Sitbon Guy
Simon Laurence
Simon Mme (Compo Relais)
Slove Jean
SNEP
Société Française du Livre

Société Interpresse
Société Nouvelle T.A.I.
Société Y
Sol Rémy
Sollers Philippe
Sorman Guy
Sotton (Albin Michel)
Soudoplatoff (Cyrille)
Soulan de Gralle Philippe
Soustelle Jacques
Souvannanuong Thao
Sportes Morgan
SPP
Suchot Michel
Suffert Georges
Sulitzer Paul Loup
Sylvia (FR3 Rennes)
Sylvie
Syndicat du Livre
Szpiner Francis
Table Ronde
Talbotier Annie
Tanière Jean
Taron Patrick
Telemer Diane
Teniere Gaston
Tepper
Tesson Philippe
Théolleyre Jean-Marc
Thérond Roger (secrétaire)
Thiede Jean-Pierre
Thiolet Jean-Pierre
Tixier Vignancourt

Topor
Tourneville
Trampoglieri Alain
Trillat Guy
Tuduri Geneviève
Typo Offset
Umiko Seike
UNESCO
Valla Jean-Claude
Vanvel
Varaut Jean-Marc
Varljen Juliette
Vasseline Christian
Verdier Antoine
Védrine (dame X)
Védrine Jean
Verdon (NMPP)
Vergès Jacques

Verny Delthil Françoise
Véronique (B. Tapie)
Viali
Vidal Françoise
Le Vieux Comptoir
Villeneuve Charles
Vincent
Vivien Robert-André
Voisin
Voix enregistrée
Weiss Christian
Wermus Paul
Wibot
Wiltzer Pierre-André
    (permanence Barre)
Yanouch
Zaperot
Zederman Eric

Table

Cet ouvrage a été composé par
PARIS PHOTOCOMPOSITION
36, avenue des Ternes - 75017 Paris

Impression réalisée sur CAMERON par
BRODARD ET TAUPIN
La Flèche

pour le compte des Éditions Fayard
en février 1996

Imprimé en France
Dépôt légal : février 1996
N° d'édition : 3855 – N° d'impression : 1702N-5
ISBN : 2-213-59536-4
35-57-9536-07/0